Dit Boekenweekgeschenk wordt u aangeboden
door uw boekverkoper

Leon de Winter
SERENADE

EEN UITGAVE VAN DE
STICHTING COLLECTIEVE PROPAGANDA
VAN HET NEDERLANDSE BOEK
TER GELEGENHEID VAN DE
BOEKENWEEK 1995

Serenade werd door Uitgeverij De Bezige Bij
geproduceerd voor de Stichting Collectieve Propaganda
van het Nederlandse Boek ter gelegenheid van
de Boekenweek 1995.

ISBN 90 7433 616 7

Mijn moeder leed al jaren aan rugpijnen. We bezochten vele specialisten, van gekwalificeerde medici tot klussende kwakzalvers, en de diagnoses varieerden van ouderdomsslijtage tot negatieve aardstralen onder haar woning.

Toen ik hoorde dat het ziekenhuis van de Vrije Universiteit een nieuw scan-apparaat had verworven, liet ik haar op de wachtlijst zetten. De wondermachine constateerde ordinaire galstenen. Eindelijk beschikten we over een solide verklaring van de krampen die haar soms dagen achtereen kwelden. Galstenen konden we begrijpen. Kiezeltjes in haar buik. De artsen beloofden dat de verwijdering ervan niet langer dan een halfuur zou duren. Vervolgens zou haar herstel niet meer dan drie dagen 'hospitaalzorg' vergen.

Honderd minuten na het begin van de operatie, na acht bekertjes koffie en het spellen van *De Telegraaf* inclusief de bordeeladvertenties, begon het tot me door te dringen dat de operatie anders verliep dan de staf had voorspeld. Manmoedig hield ik me aan de gedachte vast dat mijn moeder al vierenzeventig was en de ene operatie niet de andere; het zou wel goed komen.

Het duurde nog eens twee uur voordat een verpleegster me waarschuwde dat mijn moeder naar intensive care was gereden.

Ze lag in een heldere kamer, verbonden aan apparaten en slangen, en haar hoofdje, waaruit haar gebit was verwijderd, zag er oud en vermoeid uit. Zoals ze geregeld trots meldde werd ze door vage kennissen op ten hoogste vijfenzestig geschat, maar deze illusie was nu verbroken. Haar oogkassen waren donkerblauw, haar naar binnen vallende lippen gekloofd.

Terwijl ik me naar haar toe boog en fluisterde dat ze over een paar dagen weer thuis zou zijn, lag ze bewusteloos naar adem te happen. Ze was een schim van de vrouw die gisteravond opgewekt en vol vertrouwen naar de verlossing van de steentjes had uitgezien. Waarom had de operatie zo lang geduurd?

Naast me verscheen de internist die tevens haar chirurg was. Een dubbeltalent.

'Meneer Weiss,' zei hij.

Ik schudde zijn hand en bracht de onnozele vraag uit: 'Is alles goed gegaan?'

Hij vroeg of ik hem naar de gang kon volgen.

De deur viel achter ons dicht en hij wachtte een moment tot hij genoeg moed had om de eerste mep uit te delen. Hij zei: 'De operatie zelf is eigenlijk goed verlopen. Maar uw moeder zal niet snel naar huis mogen.'

'Waarom niet?'

'We hebben een tumor gevonden. Een gezwel dat zich om de gal en de leverafvoer heeft gewikkeld, een galcarcinoom, en die zijn niet te behandelen, niet te beheersen, met slechte prognoses.'

'Wat is een slechte prognose?' wilde ik weten. Mijn stem trilde. Maar zolang ik praatte en vragen stelde kon ik de schijn van normaliteit ophouden.

'In de regel minder dan een jaar.'

'Ze heeft geen jaar meer te leven?'

'Nee. Ook bij jongere mensen die een betere conditie hebben dan uw moeder is dit carcinoom op korte termijn fataal.'

'Ze had al tijden pijn in haar rug. Misschien heeft ze dat gezwel al lang en gaat ze nog jaren mee,' probeerde ik blind.

'In bijna alle gevallen is dat helaas niet zo,' antwoordde de internist, een jongen van mijn eigen leeftijd die mijn moeders buik had opengesneden en daar het gezicht van de dood had gezien.

'Gaat ze pijn krijgen?'

'We konden het gezwel niet helemaal verwijderen. De leverafvoer zal op een dag worden afgeknepen. Dat zal heel pijnlijk voor uw moeder zijn.'

'Een lijdensweg?'

'Ja.'

'Wat kunt u ertegen doen?'

'De pijn verzachten.'

Ik ging terug naar haar kamer en hoopte dat haar bewustzijn door de morfine naar iets moois was meegenomen, naar tulpenvelden met duizenden kleuren en eindeloze vergezichten, tot aan de sterren achter de verste zonnestelsels.

Ik besloot erover te zwijgen. Ik wist hoe ze zou reageren. *Kanker* was een woord dat niet werd uitgesproken. Zeggen was oproepen. Benoemen was tot leven brengen. Nu en dan kreunde ze.

Niemand had het recht haar te vertellen dat ze over een jaar niet naar de telefoon zou grijpen om me op de hoogte te brengen van het dubieuze karakter van Arafat, 'die boef met z'n theedoek, niet te vertrouwen is ie ook al staat ie nou te glimlachen en gaat ie naar Gaza'. Niemand had het recht om de dagen die ze nog had, één KLM-scheurkalender met twaalf kleurenfoto's van dijken, rijstvelden, bergtoppen, gletsjers, te verduisteren met fabels van kwakzalvende medici.

Ze zou geen dag kunnen ademen met de gedachte dat in haar buik een tijdbom tikte. Voor haar dijde het leven eindeloos uit, zoals het heelal. Als er een scherp einde opdoemde, zouden haar luisterrijke zorgen over haar zoon, het presidentschap van de Verenigde Staten van Amerika, Israël, de kwaliteit van het vlees van slagerij Hergo, de kwaliteit van het brood van bakkerij Van Muyden, de kwaliteit van de koffie bij café-restaurant Delcavi, de roestplekken in mijn Citroën DS, de afleveringen van *The Bold and the Beautiful*, verdreven worden door het besef dat niets zin had.

Ze vertoonde tomeloze, haast kinderlijke nieuwsgierigheid naar 'de structuur van alledag', zoals Inge het noemde. Als er een mus van het dak viel dan richtte haar intuïtie zich op als een hond die zijn baas ruikt. Ze was gespecialiseerd in het onaanzienlijke, het nietige, het onbelangrijke. Meer dan eens had ze me gek geërgerd met minutenlange telefonische oraties over het bloemmotief in een tafelkleed of het probleem van mijn gammele DS die naar haar bescheiden mening niet bij mijn status paste, maar ze kon niet anders: elke broodkruimel kende ze belang toe.

Het afgelopen decennium had ze jaarlijks minstens één onderzoek ondergaan en alle specialisten hadden zich de een na de ander verkeken. Steentjes. Misschien was de nieuwe prognose ook een vergissing.

De volgende ochtend, voordat ik mijn moeder in haar kamertje bezocht, vroeg ik de artsen om haar niet in te lichten over de ernst van haar ziekte.

De internist, zijn co-assistent en het hoofd van de verpleging probeerden me ervan te overtuigen dat ik daarmee mijn moeder op de verkeerde manier in bescherming nam, maar ik twijfelde niet. Schoorvoetend legden ze zich neer bij mijn wens.

Toen ik binnenkwam, lag ze te slapen. Zonder een reactie te verwachten zei ik dat ik bloemen bij me had. Direct sloeg ze haar ogen op en bekeek met troebele blik het boeket.

'Dag, mam.'

'Mooi,' zei ze zwak.

'Ik zal zo de verpleegster om een vaas vragen.'

'Niet te koud, 't water,' sprak ze zonder adem.

'Ik zal 't zeggen. Alles is goed gegaan, hè?'

Ze trok licht haar schouders op en probeerde te glimlachen. Dit was het leven. Ziek worden en opstaan.

Twee slangen liepen van een zuurstofapparaat naar haar neusgaten, via een infuus kreeg ze vocht toegediend, en machteloos grijnzend stond ik over haar gebogen.

Ze fluisterde: 'Weet je nou eindelijk wat je voor je verjaardag wil?'

Terwijl een monster haar gal en lever aan het wegvreten was, lag mijn moeder aan mijn verjaardag te denken.

'Mam, ik ben net jarig geweest! Ben je daar nou mee bezig? Met mijn volgende verjaardag?'

'Waar moet ik anders aan denken?' Verbazing verscheen in haar gelaat. Nog steeds sprak ze zacht, maar haar stem was vrij van twijfel.

'Geen idee.'

'Een vest,' stelde ze voor.

'Een vest? Ik draag nooit vesten.'

'Ja, en weet je waarom? Je hèbt geen vest.'

'Een vest,' herhaalde ik goedkeurend.

'Met een motiefje?' Ze vroeg naar de bekende weg aangezien ze op de hoogte was van mijn voorkeur voor effen kleding.

'Nee. Effen.'

'Ik heb anders mooie vesten gezien met een leuk motiefje of een tweede kleur.'

'Alleen effen,' vond ik.

'Dat is zo saai,' meende mijn moeder, inmiddels uitgeput maar bereid de dood te sarren aangezien een vest voor haar zoon het sterven waard was. 'Bij jou moet het altijd effen zijn. Ook je overhemden zijn altijd effen.'

'Ik hou van eenvoud.'

'Waarom zou een vest met een leuk motiefje niet eenvoudig kunnen zijn?'

'Omdat het een motiefje heeft, mam.'

'Iets kan eenvoudig zijn en toch een motiefje hebben.'

'Bij mij niet.'

'Hè, jij moet altijd anders zijn. Effen is zo ouderwets. Je bent er zo op uitgekeken.'

Ze sloot haar ogen en beëindigde het gesprek. Gespannen wachtte ik of ik haar borst zag bewegen, en gelukkig bleef ze ademen. Ze sliep. Ik sloop weg.

Mijn laatste verjaardag was voorafgegaan door uitvoerige gedachtenwisselingen over een mooie camel jas, een kostuum, schoenen, overhemden. Na zesentachtig telefoontjes zei ik ja, een mooie camel jas. Om karakter te tonen uitte ik precieze wensen: absoluut niet double-breasted, niet te licht van kleur, geen opgestikte zakken, geen brede revers, en natuurlijk wilde ze weten wat er mis was met double-breasted, brede revers en opgestikte zakken. Erfelijk belast, koppig tot in mijn tenen, ging ik met haar in discussie.

Vier weken later vierden Inge en ik haar thuiskomst. Onderweg klonk op de radio in de DS een van de spotjes waarvoor ik de muziek had geschreven.

'Ik heb 't je wel eens beter horen doen,' merkte ze minzaam op, mijn genezen moeder van vierenzeventig, gekrompen maar met rechte rug. Vroeger zag men haar wel aan voor een Française of Spaanse, maar na haar zestigste werden haar trekken Semitisch. Levervlekken en rimpels versterkten de woestijnsporen, die over talloze generaties bewaard waren gebleven.

Nog steeds had ze een mooi gevormde mond, tenminste als ze haar gebit droeg. Haar neus was de afgelopen decennia geprononceerder geworden, maar niet te erg, een scherpe, fiere neus onder ogen die ooit pikzwart waren en nu langzaam aan kracht verloren. Na enkele jaren van beschamend haarverlies was de groei teruggekeerd en kon ze weer zonder pruik de deur uit. Op halfhoge hakken ('Mama, je bent gek dat je daarop loopt, Inge doet dat niet eens, je maakt er je rug kapot mee.'), haar kapsel kastanjebruin geverfd, wandelde ze in maatgesneden mantelpakjes naar de Beethovenstraat. Haar garderobe, genaaid door een Turkse die op de Middenweg woonde, ontwierp ze aan de hand van voorbeelden die ze in internationale modebladen vond. IJdel als een actrice, trots als een bokser. Nog altijd was ze een stijfkop, betweter en eigengereid adviseur.

'Dat filmpje over bier, daar vond ik ook niks aan,' sprak ze vanaf de achterbank, haar hoofd nauwelijks boven de rugleuning, 'dat liedje dat was niet leuk.'

Ze refereerde aan een televisiespotje dat tijdens haar ziekenhuisverblijf voor het eerst was uitgezonden.

'Ze waren er tevreden mee, mam,' antwoordde ik met onverholen ergernis. Maar van mijn gemoedsgesteldheden trok ze zich niets aan.

'Wie *ze*?'

'De opdrachtgevers van de brouwerij.'

'Ze moeten aan de *mensen* denken. De *mensen* voelen niks bij zo'n filmpje.'

'Ik schrijf alleen de muziek, mam. Ik ben niet de bedenker, ik ben niet de regisseur.'

'Dus is je verantwoordelijkheid nog groter. Van jou moet het gevoel komen. Als de *mensen* geen gevoel hebben, dan kopen ze niks.'

'De brouwerij is tevreden. Dat is voor mij het enige dat telt.'

'Niet voor mij. Voor mij telt of de *mensen* tevreden zijn. En dat zijn ze niet.'

'Heb je een enquête gehouden?'

'Dat hoef ik niet. Ik *weet* wat de *mensen* denken. Nee, ik ben echt eerlijk tegen je: ik heb het je beter horen doen.'

De afgelopen vijf jaar had ze vele begrafenissen bijgewoond en nieuwe kennissen maakte je op haar leeftijd niet. Ze bezocht bijeenkomsten van de wizo, een joodse vrouwenorganisatie, en één keer per jaar de synagoge. Ze belde dagelijks, en nooit was ik erop voorbereid.

'Heb je 't net gezien op televisie?'

'Wat, mam?'

'De moffen.'

'Wat hebben de moffen dan nou weer gedaan?'

'Wat ze met die asielzoekers doen. Hebben ze een huis in brand gestoken.'

'Hè, wat een tuig. Ik heb 't nieuws niet gezien.'

'Wat, wat hadden wij nou gedaan, niets toch hadden we gedaan? M'n moeder ging langs de deuren met lapjes stof, we waren arm maar netjes, we hadden te eten maar we waren arm. We hadden niks gedaan, maar ook al hadden we niks gedaan, als beesten werden ze weggehaald. Leo, de zoon van tante Saar, een beeldschone jongen, Leo was de eerste die een oproep had gekregen en tante Saar lag op haar knieën en ze smeekte die politiemannen dat ze hem lieten gaan maar de politie nam hem mee en dat waren geen moffen dat waren Nederlanders, Bennie, hoor je dat, ook al lag tante Saar op haar knieën ze luisterden niet en toen hebben ze iedereen weggehaald...'

Haar klaagzangen duurden hooguit vijf minuten, en zodra ze gekalmeerd was leek ze zich te schamen en volgde er een voorbeschouwing van een wedstrijd van haar favoriete voetbalploeg Ajax of een samenvatting van een exemplaar van *Story* ('ik weet wel dat 't een beetje een verkeerd blaadje is, maar weet je dat Lee Towers...'). Bij haar lagen het Onbeschrijflijke en het Cliché in perfecte balans, verbonden door één ademtocht, één seconde van bezinning of één blik op de waanzin die loerde wanneer ze zich niet zou beheersen. Van Auschwitz naar het Rad van fortuin.

Vier maanden na de operatie, vermagerd maar volkomen aanwezig, ontmoette ze Fred Bachman ('Ik heb iemand ontmoet, Bennie, echt een aardig iemand.') en had ik het karakter van haar ziekte uit mijn leven verdrongen.

Tien maanden na de operatie verdween ze.

*

* *

Fred Bachman belde om half acht, vlak nadat ik pad pak ruamit en tom jang koeng had besteld bij Chiang Mai, een oase van Thaise fijnzinnigheid in het door gemeentelijke vandalen vernielde hart van Hilversum.

Een paar keer per week gaf ik telefonisch mijn bestelling door en wanneer ik de bakjes haalde werd ik telkens uitvoerig door goedlachse slavinnen nagezwaaid, alsof ik in gouden guldens betaalde. Als de deur van het kleine restaurant achter me dichtviel, trilden in de ruit de echo's van hun dank: 'Eet u heel lekker, meneer Weiss! Dank u heel erg, meneer Weiss! Val niet van de stoep, meneer Weiss!' Terwijl ik met mijn Roland *masterkeyboard* aan het werk bleef, at ik de gepeperde gerechten, waarna ik in gevecht moest met onlesbare dorst.

De volgende ochtend diende ik aan de 'creatieve directie' van Bureau JS-XTH een serie van zes *jingles* – een inflatoire term die in onze wereld wordt gemeden – te laten horen. In opdracht van een winkelketen ontwierpen ze een campagne voor dames- en herenfietsen, gietijzeren tuin-meubelen, binnenhuisverlichting, zaklantaarns, alles soli-de en fonkelend en *Made in China*. Ruth van Dijk, de chauffeuse van de denktank van js-xth, had me voor deze haastklus ingehuurd.

Twintig jaar geleden studeerde Ruth aan de Filmacade-mie. In het tweede jaar maakte ze haar eerste filmpje en ze had op het berichtenbord in de hal van het conservatorium een oproep geprikt voor iemand die een *score* kon schrij-ven. Ik deed piano en compositieleer en reageerde op het handgeschreven briefje vol stijlfouten. Het filmpje won een prijs op een festival van filmstudenten. Na de acade-mie kwam zij in de reclame terecht en in haar kielzog be-landde ik tussen de spotjes. In haar opdracht heb ik mu-ziek voor vele tientallen commercials geschreven.

Ruth wilde een gezongen campagne, een reeks mini-clips, en ik zou een melodietje leveren dat makkelijk bleef hangen, een eenvoudige structuur 'maar met emotie,' be-nadrukte zij, 'zonder emotie verkoop je geen beha'.

Drie dagen geleden hadden we over de campagne ver-gaderd en gisteren en vandaag schreef ik de jingles. Ze hadden haast. De containers met Chinese spullen wacht-ten in het distributiecentrum van de winkelketen en na-men kostbare opslagruimte in. Maar alles wat ik tot nu toe had geschreven klonk naar een pan met pruttelende spruitjes.

Vijf minuten na mijn bestelling bij Chiang Mai ging de telefoon. Het antwoordapparaat sloeg aan en na tien se-conden uit een bicinium, een zestiende-eeuws tweestem-mig stuk, het volmaakte contrast tot mijn jinglewerk, volgde mijn stem: *'Ben Weiss Produkties. Spreekt u uw boodschap in na de piep.'*

'Bennie, dit is Fred Bachman. Ik weet niet of je thuis bent, maar ik moet je dringend spreken.'

De vriend van mijn moeder. Zevenenzeventig. Een half-jaar geleden leerden ze elkaar kennen op een introductie-avond van Beth Shalom, het joodse bejaardentehuis in Os-dorp, en het was liefde op het eerste gezicht. Mijn moeder was volledig hersteld en zou eeuwig leven.

Ik had Fred misschien zes keer gezien maar niet eerder aan de lijn gehad. Ik nam op.

'Fred? Wat een verrassing! Hoe is 't?'

'Met mij is alles fantastisch,' zei hij.

Hij rookte sigaretten door een gouden pijpje, hetgeen in de ogen van mijn moeder gezelligheid en elegantie uitstraalde. Boven zijn smalle gezicht met grote jongensogen en krachtige mediterrane neus koesterde Fred een dikke witte haardos, kunstzinnig lang alsof hij Bernstein of Beethoven collegiaal kon aanspreken. Fred mat misschien eenzestig, maar hij was langer geweest, vertelde hij bij onze kennismaking. En armer, voegde hij er openhartig aan toe. Zijn Rolex, schakelarmband, drie ringen en halsketting met davidster, alles van massief goud, maakten die toevoeging overbodig, maar Fred sprak graag.

Hij vroeg: 'Met jou ook alles goed?' En zonder mijn antwoord af te wachten vervolgde hij: 'Hoe is 't met je moeder?'

'Goed,' zei ik, 'zoals ze altijd is.'

'En de laatste dagen?'

'Ook goed. Vermoedelijk.'

'Vermoedelijk?'

'Toen ik haar sprak ging het goed met haar.'

'Wanneer was dat?'

'Gisteren. Nee, eergisteren.'

Ze belde 's avonds laat. Ik had het druk en beloofde dat ik haar de volgende ochtend zou terugbellen. Maar doordat ik al vroeg het huis had verlaten en de hele dag had volgepland met Amsterdamse afspraken – als ik toch de stad in moest dan deed ik dat bij voorkeur zonder loze uren – was ik de belofte vergeten.

'En daarna?' vroeg Fred.

'Daarna heb ik haar niet meer gesproken. Is er iets, Fred?'

'Heeft ze 'n ander?'

'Een ander? Hoe bedoel je?'

'Spreek ik Chinees? 'n Ander. Een vriend, zoals ik.'

'Ik weet van niets.'

Liefdesperikelen. Blijkbaar verdwenen die ook na je zeventigste niet. Fred was bang dat mijn moeder er een tweede op na hield. Voor zoiets had ze niet de overtuiging. Niet mijn moeder.

'Ik krijg haar niet te pakken,' zei Fred. 'Alsof ze zich voor me verbergt.'

'Ze is dol op je. Ik heb haar nog nooit zo zien doen tegen iemand.'

'Waren er anderen dan?'

'De afgelopen dertig jaar niet maar daarvoor was ze getrouwd, zoals je weet.'

'Ik wou dat ik haar eerder had ontmoet, Bennie. Wat 'n vrouw. Ik wil haar niet kwijt, dat zeg ik in alle eerlijkheid. En daarom doet 't me zo'n pijn dat ze niet opneemt of opendoet.'

'Doet ze niet open?'

'Ik ben de afgelopen twee dagen wel honderd keer langs geweest, jongen. Het is net een ziekte, de liefde. Ik word er gek van als ik eraan denk dat ze me niet meer wil zien.'

'Dat wil ze wel, Fred, maak je geen zorgen.'

'Dat doe ik wel.'

'Weet je wat, ze maakt haar jaarlijkse uitstapje. Daarvan zegt ze vooraf niks en dan belt ze op en blijkt in Genève of Milaan of weetikveel te zijn.'

'Als ze dat nu van plan was dan had ze er toch iets van laten merken?'

'De truc is dat ze dat niet doet. Ze vliegt en als ze in het hotel is dan belt ze.'

'Bennie, jongen, als dat zo is dan is ze al *twee* dagen onderweg.'

'O,' reageerde ik, en met een schok dacht ik: dit klopt niet. Nog nooit had ze zo lang gewacht met het bericht waarheen haar jaarlijkse uitstapje haar had gebracht. Ze telefoneerde zodra de bellboy de hotelkamerdeur achter zich had dichtgetrokken.

'Ze neemt niet op,' klaagde Fred. 'Ik heb 't net opnieuw geprobeerd, ik heb 'm wel duizend keer laten overgaan:

15

nax. Ik ben weer langsgelopen, ik heb aangebeld, geroepen, geen zucht.'

Ze is dood, schoot door me heen. Ze is niet op reis maar ze is dood. Het monster bij haar lever. Ik was even stil maar wilde hem niet ongeruster maken dan hij al was.

'Geloof me, Fred, er zal wel een eenvoudige verklaring zijn.' Ik was niet bij machte iets zinnigs te bedenken: 'Misschien is de bel stuk.'

'Dan is ze opeens doof geworden,' antwoordde Fred, 'de bel doet 't uitstekend.'

'Ik ga wel even kijken.'

Ik drukte direct het nummer van mijn moeder in. Heen en weer naar de Raphaelstraat in Amsterdam kostte minstens anderhalf uur. Dat zou resulteren in een korte nacht, aangezien de prut die ik tot nu toe op de Roland had gekookt slap en smakeloos was.

Dit was ernstig. Ik kon geen verklaring vinden voor de vraag waarom ze de deur niet voor hem opendeed, haar vrijer op wie ze als een bakvis verliefd was en wiens hand ze bij de gelegenheden waarvan ik getuige was teder tussen haar vingers had geklemd, alsof ze bang was dat hij zou weglopen.

De telefoon bleef overgaan. Ze nam niet op.

Ik verliet de serre die vijf jaar geleden tot geluidsstudio was verbouwd, en sloot na het activeren van het alarm het huis af, een twee-onder-één-kap van tachtig jaar oud, gelegen in de schaduw van het Hilversumse stadhuis.

Ik bedacht dat ik Inge had kunnen bellen, ook al had ze me eerder op de dag gewaarschuwd dat zij voor morgenochtend tien uur een stuk voor de krant moest voltooien. Sinds het begin van de week had ze al drie opmerkelijke regels getikt. Vannacht bleef ze op haar halve etage in Amsterdam op veilige afstand van mijn vibraties, kettingrokend tot in de ochtenduren en vloekend en tierend tot haar stuk klaar was. Als ik haar stoorde zou haar concentratie omslaan in woede en riskeerde ik een verbale emmer rotte vis. Faalangst en perfectionisme smolten in haar karakter samen tot een vuurbal die enkele keren per week moest worden gedoofd in kilomerslange renpartijen door het Corversbos. Zwetend en bemodderd tot haar dijen keerde ze daarvan terug, voldoende uitgeput voor een half etmaal van rust en verzoening, tot de deadline van het volgende krantestuk opgloeide.

Ik mocht haar staat van toegepaste woede niet verstoren. Alleen ik was verantwoordelijk voor mijn moeder. Ik startte de DS 21 die op het grint wachtte en reed weg.

Ik draaide de A-1 bij Laren op en reed sneller dan de toegestane honderd in de richting van Amsterdam. Het was bijna acht uur en de zon hing achter Naarden, een warme avond van een van de laatste junidagen. De file was opgelost, de wisselstrook in het midden van de snelweg lag verlaten achter de slagboom. Over het Naardermeer gleden tientallen boten met kolossale letters en cijfers op zeilen in alle kleuren van de regenboog, speedboten slalomden naar Almere of Muiden.

Het geordende land, behaaglijk in de avondzon, ontspannen na een drukke donderdagmiddag, trok zich niets aan van mijn gedachte dat mijn moeder dood op de keukenvloer lag. Of, minder definitief maar vermoedelijk tragischer, ze had een heup of been gebroken en was niet bij machte de buren te waarschuwen. Een andere mogelijkheid was dat ze buiten kennis was geraakt nadat haar lever het had begeven.

Twee dagen daarvoor had ik de laatste keer met mijn moeder gesproken. In de koorts van mijn haastklus was het me ontgaan dat ik zo lang verstoken was gebleven van de telefonades die ze dagelijks op wisselende tijdstippen over me uitstortte, soms om half acht 's ochtends, soms in de middag, soms na het laatste nieuws.

Bang dat ik haar tekort had gedaan, bang dat ik niet meer de mogelijkheid zou hebben om akkoord te gaan met 'een rood vest met een motiefje' nam ik de afslag bij de RAI en reed over de Stadionweg naar het Olympiaplein, sloeg vlak voor de Apollolaan de Gerrit van der Veenstraat in en parkeerde voor het hoekhuis aan de Raphaelstraat.

Hier was ik opgegroeid, hier woonde zij nog steeds.

Ik opende de deur. Stapte op enveloppen en kranten en reclamefolders.

'Mam! Ik ben het!'

Geen antwoord.

'Mam! Ben je er?'

Mijn stem sloeg over, ik voelde mijn hart wild in mijn slapen kloppen, het leek wel of mijn benen het begaven. Ik wankelde de hal uit en opende de keukendeur, overtuigd van de dood in deze kamers.

Maar de linoleum keukenvloer was leeg, de formica stoelen onbezet.

'Mam! Waar ben je nou? Zeg nou wat! Mama!'

Ik liep naar de kamers-en-suite aan de voorkant en verwachtte haar koud en eenzaam op het parket, maar ook hier trof ik haar niet aan. Ik ging terug de gang in, stuiterde langs de muren met de vertrouwde schilderijen en prenten en opende met gesloten ogen de deur van haar slaapkamer.

Haar bed was onbeslapen. De badkamer! Natuurlijk, ze was uitgegleden in de badkamer, ze was verdronken, had zichzelf verdronken, pillen geslikt!

Ik voelde het zuur naar mijn keel kruipen en slikte. Ik was Chiang Mai vergeten, stom, ik moest ze even bellen. Ik liet me op haar bed zakken, het oude bed waarin ze dertig jaar geleden voor het laatst naast papa had geslapen. Ik draaide het nummer van Chiang Mai en legde uit dat ik mijn bestelling pas over een uur zou halen (er is niets aan de hand, kijk maar, ik bel met een afhaal-Thai in Hilversum over gebakken groente en hete soep).

'Geen probleem, meneer Weiss! Wij kunnen nu uw eten aan ander geven en voor u straks vers, meneer Weiss! Negen uur, zegt u, meneer Weiss?'

'Doet u maar half tien.'

'Heel goed, meneer Weiss! Half tien heel goed!'

De badkamer was de enige plek waar ze zich kon bevinden. Er was nog een mogelijkheid, het berghok achter de keuken, maar vanuit de keuken van de buren kon je in het berghok kijken en dan was ze zonder twijfel al lang ontdekt.

De zekerheid dat ik haar in het ligbad zou aantreffen hield me in haar slaapkamer gevangen.

Eindelijk zou ik haar zien in de staat die na de dood van papa gedurende vele jaren mijn nachtmerries had beheerst. De maanden na zijn begrafenis sloop ik 's nachts naar haar kamer om te luisteren of ze ademhaalde of inmiddels had gedaan wat zij bij het bericht van zijn dood de wereld had toegeschreeuwd, dat zij niet meer wilde leven, er een einde aan zou maken. Ik wachtte op een zucht, een kraak van het houten bed. Zonder haar was ik verloren, een wees zonder oom of tante, een stofje in een pakhuis. Later, na een avondlang bij vrienden of in een kroeg de problemen van school en kosmos te hebben doorgenomen, vond ik haar slapend of gestorven voor de televisie. In sluimerende paniek stond ik dan stil te luisteren.

Als ik de badkamerdeur zou openen, zou ik haar vinden.

Ik kwam overeind van het opgemaakte bed en dwong mezelf naar de badkamer te gaan. Het was donker achter de matglazen ruitjes, de deur stond op een kier. Ik duwde hem verder open en trok aan het koordje. Het licht van de lampen boven de wastafel en boven het bad spatte op de wit betegelde wanden en in een fractie van een seconde kon ik vaststellen dat de badkuip verlaten was.

*

* *

Een jaar of tien na de dood van papa, ik was toen twintig en muziekstudent, belde ze zoals gewoonlijk naar mijn kamer. Op haar kosten had ik telefoon genomen en geen dag verstreek zonder haar commentaar. Afleveringen in een toen al vertrouwde reeks, herhalingen in variaties van het gesprek van de voorgaande dag.

'Weet je waar ik ben?' vroeg ze.

Een vraag van dergelijke diepgang stelde ze vaker.

'Thuis,' antwoordde ik, hopende haar hiermee een plezier te doen aangezien ze met mijn antwoord ons duet kon voortzetten.

In die tijd verdroeg ik haar telefonische verrijkingen minder goed; lange haren en de ongeduldige jacht op de hogere doelen des levens belemmerden het uitzicht op de schoonheid van haar gedachtenwereld. Maar de afgelopen nacht had ik een meisje naar mijn bed gevoerd en een hoger doel gescoord. Mijn humeur straalde. Het meisje (Ineke Hoogstra, tegenwoordig instructrice 'natuurhealing') lag ontbloot op mijn kussens en knabbelde aan een belegen croissant die ik zojuist bij de bakker op de Albert Cuyp met vijftig procent korting had gekocht. Het was al vier uur 's middags.

'Nee,' lachte ze, 'ik ben niet thuis. Weet je waar wel?'

'Bij Delcavi.' Ik legde een hand op het mondstuk en fluisterde Ineke toe: 'Mijn moeder. Belt me gek sinds ik m'n eigen telefoon heb.'

'Wat lief,' zei mijn vleesgeworden sonate terwijl stukjes croissant op haar borsten dwarrelden.

'Fout! Verder weg,' riep mijn moeder door de telefoon.

'Bij Keyzer.'

'Welke Keyzer?'

'Naast het Concertgebouw.'

'Daar kom ik nooit, dat weet je toch?'

Dat wist ik. Ik waarschuwde Ineke: 'Dit kan uren duren. Het is een ziekte.'

Vooruit, nog twee of drie, Ineke's borsten konden straks worden schoongegeten. Ik zei: 'De Bijenkorf.'

'Verder weg, veel verder.'

'Veel verder kan niet,' beweerde ik.

'Veel verder kan wel. Jij blijft zo dichtbij. Ga es verder weg.'

'Ben je buiten de stad dan?'

'Ja,' zei ze trots.

'In Amstelveen?'

'Niet Amstelveen, veel verder.'

'Nog verder?'

'Verder! Verder!'

'Waar ben je in hemelsnaam heen gegaan? Toch niet naar Antwerpen?'

'Je raadt 't nooit!'

'Ik wil 't ook niet raden! Zeg 't me zoals normale mensen doen.'

'Pa-rijs,' zong ze.

'Wàt?'

'Pa-rijs. Ik! In m'n eentje! Vanochtend om zeven uur met de bus. Ik zit hier in een hotel op de... de Boelevaart Huisman. Heel schattig, met allemaal bloemetjesbehang, ook op het plafond!'

'Waarom heb je er niks over gezegd?'

'Ik hoef je toch niet alles te vertellen?'

'Mam, je bent helemaal krankzinnig! In je eentje!'

'Ben je niet trots op me?'

Uitsluitend in het veilige gezelschap van papa had ze het buitenland bezocht. In leer gebonden fotoalbums bewezen dat de beelden in haar hoofd niet waren gedroomd: papa glunderend en bezweet in een onderhemd en lange broek op het strand van Nice, zij samen met hem in de winkelgalerij in Milaan, aan de rand van een ravijn voor een besneeuwde Zwitserse berg, proestend voor Manneken Pis in Brussel.

Ze waren hooguit zes keer samen op reis geweest. Elke grensoverschrijding stond in haar geheugen gegrift en zwachtelde het verdriet en de melancholie na papa's dood in een nevel van exotische verten: ze had met hem onder palmen gegeten, in de Scala om Madama Butterfly gehuild, in een Zuidfranse herberg naar de krekels geluisterd.

De zomer na zijn fatale hartaanval wilde ze me een normale vakantie geven en we waren door een bekende van papa, een vertegenwoordiger in stoffen, naar een hotel in

Scheveningen gereden, een wit, rechthoekig gebouw met lange gangen en een grote eetzaal waar we twee weken lang door dezelfde ober werden bediend, een jongeman met een stralende lach die ons bij het uitserveren even deed vergeten dat we geen stap op de boulevard of het strand konden zetten zonder aan papa te denken, een ober die de stilte tussen ons – stilte die ze daarna tot in het absurde wegpraatte – voor een moment met een grap of een attente opmerking over haar jurk of broche kon wegnemen. Op zaterdagavond danste hij een Engelse wals met haar. Ik was woedend. Schaamde me voor papa.

Jaap Weiss had wat geld nagelaten, genoeg voor haar en mij en het afbetalen van het huis aan de Raphaelstraat, en ze leidde een leven in de luwte van het geheugen tot ze opeens uit Parijs belde. Niets had ik van haar verse nieuwsgierigheid gemerkt, en opeens hing ze haar kleren op in een kamertje in de omgeving van de grote warenhuizen. Na een bustocht met bejaarden en studenten boog ze zich voor het eerst van haar leven over een stadsplattegrond en volgde met haar tong tussen de lippen de magische lijnen van de avenues en boulevards.

Ze belde een paar keer per dag, koortsig van opwinding en meegesleept door onvoorziene moed.

'Weet je hoe hoog die Eiffeltoren is! En weet je wel hoe mooi die toren op die vier poten staat?'

'Ik ben er geweest, mam,' antwoordde ik mild.

Ik had meer van Europa gesnoept dan zij. In de jaren zeventig kon je nog met de duim omhoog naar de Rivièra liften en vanaf mijn zestiende had ik zomernachten in greppels, jeugdherbergen of strandtenten doorgebracht met één hand op mijn gitaar en de andere op mijn portemonnee. De opbrengst van wekenlange verveling aan de lopende band bij Maggi of Luycks was verdubbeld door de bonus van mama, een gulden van haar voor elke gulden die ik zelf had verdiend, en met dat fortuin doorkruiste ik de Geschiedenis en de Cultuur. Ik beschouwde mezelf als een ervaren Parijsganger die haar van adviezen had kunnen voorzien als ze me op de hoogte had gesteld van deze gekte. Maar dat had ze niet gedaan, en ik voelde me gepasseerd.

Na een dozijn telefoontjes stapte ze weer in de bus en ik haalde haar af bij de eindhalte op het Museumplein. Achter een groep rugzaktoeristen verscheen haar triomfantelijke gestalte, met geheven hoofd en grote ogen en een mond vol superlatieven.

Ze kuste me en ik nam de reistas over.

'Ik heb het helemaal alleen gedaan,' zei ze thuis aan de thee, snoepend van de echte nougat uit Montélimar die ze in een schattig winkeltje onder de Sacré Cœur had gekocht, 'ik wilde het al jaren doen maar ik durfde niet. Ik was bang dat ik het zonder papa niet redde. Dat ik de weg niet zou weten. Dat het eng was om in een vreemde stad te zijn. Maar ik heb het gedaan en ik... ik weet niet, alsof ik weer kan ademhalen. Vind je 't gek, Bennie?'

Het was het begin van een ritueel. Op een dag ging de telefoon en stelde ze de vraag: 'Weet je waar ik ben?' En dan antwoordde ik: 'Je bent thuis natuurlijk.' En dan kon ze reageren met: 'Nee, ik ben niet thuis.' En dan leidde ze het pingpongspelletje naar de naam van de opzienbarende plek waar ze zich dat jaar bevond, Londen, Rome, Kopenhagen, Madrid, Brussel, Lissabon, een Europese stad die gemakkelijk per bus of vliegtuig vanuit Amsterdam te bereiken viel.

Nimmer reisde ze per trein. Toen ik daarover een keer mijn verbazing uitsprak, antwoordde ze dat ze niet hield van de geluiden van de rails, van de schokkerige bewegingen op de wissels. Ik wist niet of ze de waarheid sprak. Misschien had papa haar verteld over zijn treinreis naar het Onbeschrijflijke, en na die ene keer zweeg ik erover.

Ze bezocht musea, historische gebouwen, bijzondere restaurants, en ontdeed zich als een slang van de huid waarin ze zich gedurende papa's leven had schuilgehouden. Er bleek een tweede Anneke IJsman te bestaan, een meisjesachtige vrouw die enthousiast kon raken over een schilderij of een oud beeld of een stuk kristal. Die Anneke kende ik niet. Ik kende de vrouw die niet groter was dan de schaduw van papa.

Dank zij zijn vaardigheden met naald en draad had hij, een meesterkleermaker, de kampen van de Germanen overleefd. In de jaren vijftig sneed hij kostuums en japonnen voor de luidruchtige joden van Amsterdam-Zuid, die het verleden wilden toedekken met een modieuze laag satijn, zijde of scheerwol. Hij had couturier kunnen worden, besefte ik later, de tekeningen en schetsen die hij had gemaakt verraadden zijn ontwerperstalent, maar zijn bescheidenheid – angst, gebrek aan moed? – veroordeelde hem tot zijn stoel in het atelier aan de Prinsengracht, een diep onderstuk tegenover de brug die naar de Reestraat leidt. Daar vergleden de dagen onder een hemel van TL-buizen, achter een brede houten tafel die glansde als een spiegel nadat hij er kilometers stof op bewerkt had, zijn onderarmen bloot onder opgerolde hemdsmouwen, een potloodsnorretje op zijn bovenlip, grijs kroeshaar boven donkere ogen die overliepen van melancholie, het licht weerkaatst in een gouden hoektand. Hij was klein en had geen last van het lage plafond dat zijn klanten parten speelde: 'Jaap, werk je voornamelijk voor dwergen?' Een Jiddisch mannetje met een aristocratisch gezicht en de handen van een Balinese danseres. Door op de bus naar Parijs te stappen had mijn moeder hem begraven, ruim tien jaar na zijn dood.

*

*   *

Ik keerde terug naar de keuken. In het droogrek op het aanrecht lagen een kopje, een bord en mes en vork. Daarmee had ze thuis voor het laatst gegeten.

Ik voelde opeens iets op mijn schouder drukken. Dit was ontegenzeglijk de greep van een kwaadaardig wezen dat zich heimelijk achter me had opgesteld. De angst dat ik werd overvallen door een bandiet of geest schoot in de vorm van een kreet de keuken in en ik draaide me heftig om en raakte met een onbeheerste uithaal Freds neus.

Zo snel als een atletische zevenenzeventigjarige kan terugstappen wierp hij zich opzij en greep naar zijn neusbrug.

'Fred!' kreunde ik, natrillend van de plotselinge paniek. Ik boog me naar zijn zonnebril.

'Dacht je dat ik je kwam beroven of zo?' hoorde ik Fred achter zijn hand zeggen.

'Sorry, Fred.'

'Hij is al vaker gebroken geweest, maak je geen zorgen.'

Net als mijn vader was Fred klein van gestalte en ik ben nauwelijks langer dan hij. Gelukkig kroest mijn haar en ik houd het bovenop wat langer dan aan de zijkanten (in mijn jeugd liet ik het uitwoekeren tot een afrokapsel), waardoor ik in combinatie met schoeisel op forse hakken, bij voorkeur halfhoge laarzen, vijf centimeter illusie aan mijn lengte kan toevoegen. Mijn gelaat heeft een muizige vorm met een zwak ontwikkelde kin en een bescheiden voorhoofd met lage haargrens en mondt uit in een Semitische neus, zo'n gezicht dat voor *joods* doorgaat en in de regel zeker tien jaar te jong wordt geschat.

Fred oogde als een Griek uit een piratengeslacht: zwarte ogen, geprononceerde kin, zware wenkbrauwen en zilveren manen, die hij vandaag in een modieus staartje had gebonden. Hij droeg een wit zijden hemd, een wijde spijkerbroek en witte instappers. Ik gaf hem zijn zonnebril terug.

'Is 't erg?' vroeg hij.

Ik keek naar zijn neus. 'Niks te zien.'

'Ik bedoel *Anneke*, goochemerd.'

'Ze is er niet.'

Met beide handen, de pinken koket omhoogwijzend, plaatste hij de zonnebril op het dikke bed van zijn zorgvuldig gekamde haar. Hij bekeek me met een heersersblik. Met een knipoog die begrip mijnerzijds veronderstelde vertelde hij bij onze kennismaking dat hij in de handel had gezeten. Hij zat naast mijn moeder op de bank, haar hand in de zijne, en voegde er veelbetekenend aan toe: *dit en dat hier en daar*. Ik had geen idee wat dat was.

'Gelukkig,' zei Fred, 'dan leeft ze.'

'Wisten we dat maar zeker.'

Ik liep terug de gang in en graaide de post van de mat. Fred volgde.

'Hoe bedoel je?'

'Ik ben bang dat er iets met haar is gebeurd. Dit is niet normaal.'

'Precies. Ze heeft een ander. Ligt al een paar dagen met hem in het nest. En ik wil niet weten wat ze daar doen.'

'Ze is vierenzeventig, Fred!'

'En ik zevenenzeventig. Dacht je dat oude auto's zonder smering rijden?'

Ik had er nooit bij stilgestaan tot hij naast mama op de bank zat. Inge was ervan overtuigd dat ze het deden. Ik kon het me niet voorstellen.

'Ik zou 't echt heel naar voor je vinden maar als ze een ander zou hebben dan is er hoop.'

'Dank je,' zei hij bitter.

We gingen aan tafel zitten en bekeken de enveloppen en kranten. De exemplaren van *De Telegraaf* en NRC *Handelsblad* vertelden dat ze gisteren in de loop van de dag het pand had verlaten want *De Telegraaf* van die dag lag op tafel, gelezen en dubbelgevouwen, en de onberoerde NRC van gisteren had ik van de mat genomen. *De Telegraaf* van vanochtend, evenmin gelezen, lag bovenop, een schreeuwende kop boven een kleurenfoto. Op het WK in Amerika had Nederland van Marokko gewonnen, nu de Ieren nog. Na het vertrek van Sandberg als hoofdredacteur had ze haar abonnement op *Het Parool* beëindigd.

'Om hoe laat belde je gisteren voor het eerst?' vroeg ik.

'Half tien.'

'Ze heeft ontbeten, de krant gelezen en is toen weggegaan. Dus: tussen zes en half tien gisterochtend heeft ze het huis verlaten,' concludeerde ik.

'En als ze op reis is gegaan, wanneer had ze dat normaal laten weten?'

'Gisteren. Stel dat ze naar Athene of Istanboel is gevlogen, dan had ze 's middags gebeld. Dat heeft ze altijd gedaan, bij elke reis.'

'Misschien is ze naar Marrakech gevlogen en is de telefooncentrale daar in de fik gevlogen.'

'Ze gaat niet naar een plek buiten Europa. Dat heeft ze nooit gedaan.'

'Misschien ken je haar minder goed dan je denkt.'

'Ze spreekt een beetje Engels, dat is alles.'

'Of Australië. Dan zit ze nu nog in het vliegtuig,' zei Fred terwijl hij uit een broekzak een platte sigarettenkoker nam en uit de borstzak van zijn hemd het gouden pijpje.

'Daar was ze nu ook al geweest.'

Op tafel stond de zware zilveren aansteker, groot als een vuist, die sinds papa's dood alleen door Inge was beroerd. Fred schoof het ding naar zich toe en trok vuur in een sigaret. Drie decennia lang had mijn moeder de aansteker gevuld gehouden.

'Dit is de eerste keer dat ik hier binnen ben,' zei Fred.

'De eerste keer? Ze heeft je toch wel es binnengevraagd?'

'Nee.'

'Vreemd.'

'Ach, hier was ze met je vader.'

'Dit is niet normaal. Ook niet voor haar.'

'Wat bedoel je daarmee?'

'Eén keer per jaar gaat ze op reis. Ze bereidt dat in het geheim voor, ze is daar maanden mee bezig, gaat in de bibliotheek reisgidsjes lezen, dat was haar hobby. Maar nu ben jij er. Ik kan me niet voorstellen dat ze zonder jou zou gaan.'

'Waar heeft ze haar paspoort liggen?'

Ik opende een la van het dressoir, een meubel van kastanjehout, glad en strak van vorm, dat in de jaren vijftig was aangeschaft en na decennia van miskenning nuchtere bevalligheid had verworven, als een kunstwerk dat zijn tijd vooruit was geweest.

Bankafschriften, AOW-paperassen, trouwboekje, maar geen paspoort.

'Op reis,' zei ik uitgelaten.

Gehaast verliet ik de kamer en trok de deur van de gangkast open, het domein van de koffers. De reistas ontbrak, de donkerblauwe katoenen zak die al jaren haar metgezel was, een handzaam ding dat ze zowel aan de hand als om de schouder kon dragen en het hoognodige voor haar uitstapjes bevatte, een extra bloesje, ondergoed, toilettas.

'Haar tas staat er niet. Goddank, ze is op reis.'

Ik ging zitten en liet de opluchting toe.

'Ze is op reis,' zei Fred, 'zonder mij.' Hij trok aan het pijpje, beet erop, liet het mondstuk van links naar rechts tussen zijn lippen rollen.

Ik wees naar de rij museumcatalogi op het dressoir. 'Begon een jaar of tien na de dood van vader.'

'Ik ben nog nooit in het Rijksmuseum geweest,' zei Fred trots. Maar twee seconden later schudde hij zijn hoofd ter afsluiting van een zorgvuldig geheugenonderzoek: 'Nee, nee, nee. Ben ik toch geweest. Met een Canadese *chick*. Wilde ze heen. Soms vergeet je die dingen.'

Ik hoorde de indringende tik van de klok op de schoorsteenmantel, een strakke uitbouw van beige marmeren platen die een soort klankkast vormden en de trillingen van de klok versterkten. De gashaard telde tweeënveertig witte keramische pijpjes waarin 's winters de vlammen dansten.

Het drong tot me door dat ik twee dagen zonder haar correcties en vermaningen had geleefd. Ik had haar niet gemist doordat de echo's van duizenden gesprekken in mijn hoofd hingen.

'Er was iets met haar,' zei Fred.

'Wanneer?'

'Toen ze belde. Eergisteren. Wat later op de avond. Ik was het vergeten maar nu denk ik er opeens weer aan. Ze had iets op televisie gezien dat haar van streek had gemaakt.'

'Wat dan?'

'Ik weet 't niet,' antwoordde hij, de sigaretteas met een beringde pink in de asbak tikkend.

'Ja, er was iets met haar,' herinnerde ik me opeens, 'mij belde ze ook.'

'Misschien heeft ze zichzelf iets aangedaan.'

'Hè, Fred. Dat had ze toch ook thuis kunnen doen? En waarom zou ze haar paspoort hebben meegenomen? Om zich in de hemel te legitimeren?'

'Er zijn mensen die de nabestaanden niet met de troep willen achterlaten. Ook al kan jij haar paspoort niet vinden, de kans is klein dat ze niet al gebeld had, geef toe.'

'Ik hoop dat 't iets anders is.'

'Als je realist bent dan hou je met het ergste rekening.'

'Ik ga naar de politie,' zei ik.

'Niet onverstandig. En neem een foto mee.'

*

*   *

Toen ze me de laatste keer belde, stond mijn TV uit. Ik was een melodie voor de campagne van Ruth op het spoor en zocht een bruggetje ter verbinding van twee piepkleine varianten.

Ik hoorde mijn moeder via het antwoordapparaat.

'Bennie? Waar ben je? Ik weet dat je er bent, neem nou op, hier is mama! Bennie! Waarom zeg je nou niks! Ik weet dat je thuis bent! Zeg toch es wat! Bennie! Ben!'

'Ja, ik ben er...'

'Waarom laat je me zo lang praten?'

'Ik moet eerst het antwoordapparaat uitzetten.'

'Wat was je aan het doen?'

'Ik ben aan het werk.'

'Heb je televisie gekeken?'

'Televisiekijken en tegelijk muziekmaken gaat niet.'

'Het was vreselijk,' zei ze, en ze bleef stil.

De oude oorlog, dacht ik, ze heeft iets van *toen* gezien,

een opname van een lijkenkuil, een goederenwagon met luchtgaten waaruit handen steken, en daarom zwijgt ze nu ofschoon ze niet kan zwijgen want als ze zwijgt dan spreekt ze zonder woorden.

'Wat heb je dan gezien?'

'Het is vreselijk, Bennie, vreselijk.'

'Wat dan, mam?'

'De wereld,' zei ze, en ze sprak dat woord uit als iets dat pijn deed: de eerste lettergreep steeg een terts, de tweede daalde een halve noot.

'Welke wereld, mam?'

Ze antwoordde met een harde stem, opeens zonder pijn: 'Ken jij een andere?'

'Wat is vreselijk in onze wereld?' probeerde ik voorzichtig en gedempt.

'Wat we elkaar aandoen. De beulen, de slachtoffers, de machteloosheid.'

'Ik weet 't, mam.'

'Wat kan jij nou weten?' vroeg ze scherp. 'Wat heb jij nou meegemaakt?'

'Jou en papa heb ik meegemaakt,' antwoordde ik hulpeloos.

'Weten van horen zeggen en zelf ondergaan zijn twee verschillende dingen.'

'Ja, dat is zo,' gaf ik toe, ongeduldig nu omdat ze zo veel suggereerde en zo weinig benoemde. 'Zullen we er straks over doorpraten?'

'Ik ga vroeg naar bed,' antwoordde ze.

Ik loog: 'Ik moet iets afmaken, mam.'

'Een mooie opdracht?' vroeg ze lief.

'Een hele mooie. Ik bel je morgen wel,' sloot ik af.

'Weltruste, lieverd.'

*

* *

Op het bureau aan de Lijnbaansgracht registreerde de agent met behulp van een degelijke typemachine, vermoedelijk de laatste mechanische in Amsterdam, de naam van mijn moeder: Johanna Weiss-IJsman, geboren op 29 maart 1920, weduwe van Jacob Aaron Weiss, lengte, gewicht. Vermoedelijk had ze haar woning gisterochtend verlaten en sindsdien was niets van haar vernomen. Ik wist niet waarin ze zich had gekleed, nee, ik had dat ook niet gecontroleerd aangezien ik geen overzicht had over haar uitgebreide garderobe, nee, er waren verder geen familieleden en ik was het enige kind. Ik wilde weten of er melding was van een slachtoffer dat aan haar beschrijving voldeed, en de agent beloofde dat hij dat zou uitzoeken.

Na een kwartier stond ik op straat, ervan overtuigd dat zich gisterochtend een catastrofe had voorgedaan. Om mij te misleiden had ze haar paspoort en reistas meegenomen en vervolgens had ze zich per taxi naar het begin van de tochtige Schellingwouderbrug aan de uiterste oostelijke rand van de stad laten rijden, een eenzame verbinding tussen jachthavens, fabrieksterreinen, illegale afvalstortplaatsen. Ze was de brug opgelopen en in het grauwe water van Het IJ gesprongen. Iets dergelijks moest gebeurd zijn.

Langs de Reguliersgracht vond ik een plek voor de DS en liep naar Inge's etage aan de Utrechtsedwarsstraat, een ruimte van vier bij vijf plus keuken en badkamer in een pandje dat in de jaren twintig nieuwbouw was.

Op mijn aanbellen reageerde Inge met het openschuiven van een raam. Ze steunde met haar handen op het kozijn, sigaret tussen de vingers.

'Jezus, Ben, ik had toch gezegd dat je me met rust moest laten vandaag?'

'Er is iets aan de hand met mijn moeder.'

'Wat dan?'

'Ik vertel 't je zo.'

Ze trok zich terug. Even later zoemde het slot van de deur.

Ik liep naar boven in de richting van haar in zwarte panties gestoken benen, korte bruinleren rok en strakke zwarte trui. Haar tenen staken over de rand van de bovenste tree, ze hield zich aan de armleuning vast en stapte opzij toen ik de overloop bereikte. Op kousevoeten was ze een halve kop groter dan ik. Ik reikte naar haar en misnoegd kuste ze me op mijn lippen.

'Vijf minuten,' zei ze.

Ik volgde haar de kamer in. Niet alleen de wanden maar ook de vloer en de stoelen, de vensterbanken, de radiatoren van de cv waren bedekt met boeken. En op de boeken bevonden zich slipjes, sokken, pumps, beha's. Een pad leidde naar de divan en de werktafel. Ze ging zitten, sloeg haar benen over elkaar en legde een arm op haar buik, onder borsten die zo fors waren dat ik eronder kon schuilen. Haar andere arm steunde op de handpalm en hield de sigaret in de nabijheid van haar lippen. Boven haar zwarte gestalte leken haar opgestoken lichtblonde haren te stralen, een paar plukken hadden zich aan de spelden ontworsteld en hingen op haar schouders en langs haar oren. Ze had een rond gezicht, regelmatig van verhouding, met volle lippen die voortdurend in de aanzet tot een zoen leken te zijn geplooid. Sinds tweeëneenhalf jaar was ze mijn vriendin, een sjikse uit een geslacht dat eeuwenlang de polders rond Franeker had bezongen. In het krakende landhuis van haar ouders wachtten gedichten in handgebonden folianten, de vruchten van een harer voorvaderen, op een Friese filoloog die de wereld kond zou doen van polderbloed en koeiemoed. Ik wist niet waarom Inge mij – Jiddische dwerg met platvoeten – had uitverkoren.

Ik vertelde wat er het afgelopen anderhalf uur was voorgevallen. Ze luisterde en rookte, en toen ik was uitgesproken keek ze me langdurig met haar lichtblauwe ogen aan om te meten of ik in staat was de zwaarste gevolgtrekking te verwerken.

'Wat denk je?' drong ik aan.

'Heb je haar huisarts gesproken?' Vergeleken met mijn roeterige Amsterdamse stembuigingen deden die van haar aan zuivere Friese weilanden en gezonde mest denken.

'Waarom zou ik haar huisarts bellen?'

Ze haalde haar schouders op: 'Als ze op reis was gegaan dan had ze al lang gebeld. Ik ben bang dat ze zichzelf iets heeft aangedaan.'

'Jij denkt dat ze dat gedaan heeft omdat een arts zich versproken heeft?'

'Ja. Niet omdat ze iets vreselijks op TV heeft gezien.'

'Soms zie je toch dingen die elke beschrijving tarten?'

'En daarna kijk je naar een video en poets je je tanden en ga je lekker dromen nadat we elkaar nog even hebben gesnoten.'

Opnieuw sloeg ze haar benen over elkaar, nu kwam de andere bovenop te liggen, teneinde het gewicht van de grofheid op te vangen. Dit Arische Heiligdom, klassiek van verhoudingen, steunend op zwartbekouste zuilen die de Griekse Goden tot jaloerse razernij zouden hebben gebracht, was niet vies van een profaniteit.

Ze nam een laatste, diepe trek van haar sigaret en drukte hem uit in een overvolle asbak.

Ik zei: 'Voor mijn moeder is dat anders.'

'Misschien. Maar ik heb nooit de indruk gekregen dat zij de oorlog niet achter zich heeft gelaten.'

'Hoe bedoel je? Hoe kun je dat meten?'

'Ik heb er haar zelden of nooit iets over horen zeggen.'

'Is dat juist niet een signaal dat ze het nooit heeft verwerkt?'

'Ja, zo blijf je bezig,' maande ze terwijl ze een verse sigaret uit een pakje Marlboro Light peuterde, half op tafel leunend.

'Je hebt er net een uitgemaakt.'

'En zometeen steek ik er weer een aan,' antwoordde ze. 'In jouw joodse wereld is het zo dat als ze erover praat, ze de oorlog nog moet verwerken, en als ze er niet over praat, ze de oorlog ook nog moet verwerken.'

Het waren zinnen die niet eerder waren geuit door iemand die in Franeker het levenslicht had gezien. Inge was de eerste die de spiertjes van strottehoofd, keel en mond, in haar geboortestreek ontwikkeld voor autochto-

33

ne begrippen als melk, uier, kaas, kon plooien voor allochtone als 'joods' en 'oorlog'.

'Ofwel: ik stel me aan,' zei ik.

'Dat zeg ik niet. Ik zeg dat je wat nuchterder naar haar situatie moet kijken. Ze is niet iemand die aan haar verleden lijdt. Ze heeft een vriend, ze is onafhankelijk, ze kan nog jaren mee, tenminste, dat denkt ze, en wat daarin verandering kan brengen dat is die kutziekte.'

'Wat zal ik nou doen?'

Ze liet haar duim langs het wieltje van een weggooiaansteker glijden en hield haar sigaret in de vlam. Ze inhaleerde en zei met toegeknepen ogen tijdens het uitademen: 'Laten we hopen dat het meevalt.'

Ze pakte mijn hand, trok me in een wolk van brandende tabak naar zich toe en sloeg troostend haar armen om me heen. Ofschoon ik stond was het verschil in lengte tussen ons gering.

'Misschien is ze toch op reis, Bennie.'

'Nee. Er is iets ergs gebeurd.'

Het was tien uur toen ik de stad verliet en het was nog helder boven Nederland, in het achteruitkijkspiegeltje zag ik een oranje gevlamde hemel. Ik bad dat Fred gelijk had: ze verbleef in een mediterraan land in een hotel waar geen telefoonlijn beschikbaar was.

Maar het was nauwelijks voorstelbaar dat een hotel in Istanboel of Palermo moderne communicatiemiddelen ontbeerde. En bij eerdere reizen had mijn moeder bewezen dat ze de weg naar het meest nabije postkantoor kon vinden om de lokettist duidelijk te maken dat haar zoon smachtte naar haar woorden. Sinds kort beschikte ze zelfs over een soort credit card waarmee ze vanuit bijna elke Europese telefooncel een telefoniste van de PTT kon bereiken en in haar eigen taal dat ene nummer noemen dat dringend moest worden gebeld.

Over die andere verklaring van haar verdwijnen kon ik bijna niet nadenken. Ik voelde een snijdend schuldgevoel wanneer ik de gedachte toeliet dat ze zelfmoord had gepleegd. In het verleden had haar leven aanleiding genoeg geboden voor het verrichten van de ultieme daad. Maar langer dan een handvol seconden mocht die gedachte niet duren. Fred was er nu. Ik wilde dat ze ademde en met verrukte blik door vreemde straten dwaalde, rottend fruit en nootmuskaat en mint en kardemom rook, afwijzend gebaarde naar jongetjes met vuile handen en volwassen ogen die zich aanboden als haar gids, onder de douche in haar hotelkamer de hitte van haar bejaarde lichaam spoelde. Ze zou op een dag sterven, maar niet nu, niet zolang ik haar kind was.

In de maanden na de operatie waren haar telefoontjes bijna gewichtloos, met onderwerpen die nog lichter waren dan het faillissement van Patty Brard of het Eurovisie Songfestival. Haar politieke tirades zette ze voort, maar geen oorlog, geen deportaties.

Fred veranderde haar leven. Vanzelfsprekend had ze me van zijn bestaan per telefoon op de hoogte gesteld.

'Kom je zaterdagavond?'

'Ik heb al een afspraak, mam. Ik kom zondagmiddag wel even.'

'Hè, wat flauw. Waarom kun je niet?'

'Ik heb een afspraak met vrienden.'

'Ik wil je aan iemand voorstellen,' zei ze.

'Kan dat niet op zondagmiddag dan?'

'Nee. Alleen op zaterdagavond. Kom je dan? Doe nou es een keer niet zo flauw.'

Het enige dat ik kon doen was voor de vorm tegenstribbelen en mijn capitulatie uitstellen. Futiel, maar meer restte niet.

'Aan wie wil je me voorstellen?'

'Aan een vriend.'

'Welke vriend?'

'Je kent hem niet.'

'Ik ken al je vrienden.'

'Deze niet.'

'Hoe heet ie?'

'Fred Bachman.'

'Waar ken je hem van?'

'Vorige maand was er dat avondje bij Beth Shalom, weet je nog?'

Dat *weet je nog?* was een kolossaal understatement want ik had haar geprest erheen te gaan. Na de galsteenoperatie zat ze te vaak alleen thuis en de kamers vervuilden. Ze weigerde een werkster toe te laten en wilde zelfstandig blijven. 'Ik wil niet tussen die oudjes zitten,' antwoordde ze toen ik bleef aanhouden en haar op het stof en de kruimels wees. 'Wil je me dood hebben? Want dat gebeurt als ik daarheen moet.' Ik legde uit dat iedereen die ouder werd hulp nodig had en dat zij helaas geen uitzondering vormde. 'Ik doe m'n boodschappen, ik kook, ik was mezelf en ik ben niemand tot last,' luidde haar verweer, 'dus waarom hou je je mond niet?' Ik volhardde in mijn lofprijzing van het paradijselijke Beth Shalom in het dynamische Osdorp, van boven tot onder gevuld met joden zoals zij, jonge daadkrachtige meisjes en jonge geestdriftige jongens. 'Ik hoef niet zo tussen de joden te zitten,' antwoordde ze bits. 'Maar het is een heel goed bejaardentehuis!' riep ik wanhopig, daarmee mijn gehele pleidooi eigenhandig opblazend want ik had het woord uitgesproken waarop een absoluut verbod rustte. 'Ik in een bejaardentehuis? Over m'n lijk,' oordeelde ze.

Na elk vruchteloos telefoongesprek beraadslaagde ik met Inge, die me telkens overtuigde van de noodzaak mijn moeder tot verhuizing te bewegen. Inge zag waarvoor ik blind was: mijn moeder vergat de deur te sluiten, het gas dicht te draaien, en soms zelfs de rits van haar jurk dicht te trekken en haar wenkbrauwen te tekenen. En Inge wees me erop dat we niet wisten wanneer het ding bij haar lever zou opspelen. Na enkele weken gaf mijn moeder toe. Ze liet zich door mij naar het introductieavondje bij Beth Shalom brengen en nam zelf een taxi terug. Daar had ze dus Fred Bachman ontmoet.

'Waar ken je hem van?' vroeg ik.

'Van die avond zeg ik toch?'

'Zo zie je maar dat je daar nieuwe mensen kunt ontmoeten.'

'Hij moet ook niks van een tehuis hebben,' strafte ze.

'Mam, het is echt 't beste voor je,' begon ik weer.

'Kom zaterdagavond met Inge en dan maak ik gremselisch.'

Dat was een wondergerecht uit de Jiddische keuken dat ze al jaren niet meer had bereid. Fred moest een bijzondere gast zijn.

'Mam, ik kan echt niet.'

Ze was even stil en zocht naar het middel van de sluipmoordenaar.

'Als jij vroeger een meisje had dan wilde je haar toch ook aan mij voorstellen?'

Ik kende de betekenis van de zin, maar ik kon haar niet met mijn moeder in verbinding brengen.

'Hoe bedoel je *voorstellen*?'

'Hè, wat doe je lastig,' zei ze geërgerd.

'Wat wil je nou zeggen, mama?'

'Ik heb iemand ontmoet, Bennie, echt een aardig iemand.'

'Een aardig iemand? Wat is dat?'

'Een vriend, zeg ik toch.'

Mijn God! Ik wenkte naar Inge, die ingespannen voor de buis zat en met de afstandsbediening een zap-tocht maakte naar een programma dat haar beweeglijke aandacht kon vasthouden. Ik gebaarde tot ze vragend opkeek en het geluid uitdrukte.

'Een vriend? Ik begrijp er niets van,' zei ik in de plotselinge stilte van de woonkamer, verstoken van de geluiden van MTV, het journaal, een quiz.

'Als je er zaterdag bent dan begrijp je het wel. Het is bij hem thuis. Op het Olympiaplein.'

Ze hing op en Inge kwam naar me toe.

'Wat is er?'

'Je gelooft me niet.'

Ze geloofde me wel en zaterdagavond waren we getuige van het verliefde stel.

Fred bewoonde een weidse living met een crèmeleren zit-hoek, koperen halogeenlampen op slanke poten, een inge-bouwde bar, een aërodynamische stereo van B&O, een zit-hoek van verchroomd metaal bekleed met gifgroen flu-weel. Bij een aperitiefje luisterden we naar radiospotjes waarvoor ik de muziek had geschreven. Mijn moeder had een kopie laten maken van de tape die ik naar potentiële klanten stuurde en de B&O liet mijn kunstjes quadrafo-nisch uit de hoeken dreunen. Trots keek ze naar Fred, die bewonderend toehoorde bij de bier-, maandverband-, hy-potheekreclame. Nooit had hij erbij stilgestaan dat de mu-ziek van die spotjes door een componist werd geschreven.

'Hibresse, Hibresse, voor de vrouw van nu,' zong een koortje terwijl Fred goedkeurend knikte.

'Die ken je toch?' werd hem door mijn moeder ge-vraagd. Ze zag er tijdloos uit. Slank en krachtig hield ze Fred gezelschap. Inge wist dat mijn moeder 's middags een schoonheidsspecialiste had bezocht.

Hij knikte: 'Een vriendin van me gebruikte dat merk.'

'Wanneer?' vroeg mijn moeder verontrust.

'Ver voor jouw tijd,' kalmeerde hij haar.

'De hypotheekman, de hypotheekman,' gilde een zan-geresje uit de *backing* van Rob de Nijs.

'Moet je niet doen,' adviseerde Fred, 'als je een hypo-theek zoekt dan weet ik wel wat beters voor je.'

'Maar wat vind je van de muziek?'

'Uit de kunst,' oordeelde Fred, mij aankijkend, 'echt lekkere muziek.'

'Weet je wat Bennie ook heeft geschreven?'

'Nou?'

'Het Songfestival van twee jaar geleden?' zette mijn moeder voor.

'Dat met dat Surinaamse mokkeltje?'

'Nee dat was vorig jaar. Twee jaar geleden!'

'Met...' zocht Fred, 'met... hoe heette ze ook al weer? Monica! Monica de Graaf!'

Mijn moeder wees glimlachend op mij.

'Was dat van jou?' vroeg Fred verrast, 'ah nee, echt?'

Ik knikte en dacht aan de voorlaatste plaats die we hadden gehaald. *'The Netherlands, Les Pays-Bas, Die Niederlande, one point, un point, ein Punkt.'* De buitenlandse pers veegde de vloer aan met mijn melodietje. Ouderwets, zielloos, truttig. Ze hadden gelijk. Op uitnodiging van de club die de Nederlandse bijdrage voor het Songfestival verzorgde, had ik tien stukken geschreven en het Nederlandse volk had na twee televisieuitzendingen uitgerekend *Mijn huis voor jou* gekozen, het liedje dat ik het laatst had geschreven om de reeks vol te maken, een riedel die zichzelf had overleefd en misschien in de jaren zestig had kunnen dienen als de *flipside* op een single.

'Was een leuk liedje,' prees Fred, 'maar het was niet hoog gekomen, hè?'

'Eén na laatste,' stelde mijn moeder vast, Freds beleefdheid wegvegend. 'Ze hadden toen beter *In de hemel* kunnen kiezen. Ken je dat?'

'Verrek, nu weet ik 't weer van toen,' riep Fred, 'je had toch een interview met Henk van der Meyden?'

In *De Telegraaf*, een pagina met een kleurenfoto van mijn muizige kop, over het succes van mijn jingles en singles.

'Ik herinner 't me,' ging Fred verder, 'ik dacht toen: Weiss, da's een jiddejongen, leuk, d'r zitten weer jidden in de lichte muziek, net als voor de oorlog, ik herinner 't me!'

'En nou zit je tegenover hem!' legde mijn moeder uit.

'Het kan verkeren, hè?' lachte Fred, en hij kuste de hand van mama.

Na het eten moest ik de video met televisiespotjes verdragen. Mijn moeder prees aan en Fred volgde. Ik was een groot muzikant, een eersteklas componist. Kettingrokend zat Inge in een hoek te lezen.

Behalve ik werkte er misschien een dozijn componisten full-time in opdracht voor reclamebureaus en ik was ervan overtuigd de enige te zijn die wist wat Schönberg en Philip Glass geschreven hadden. Met mijn collega's hief ik een enkele keer het glas bij de borrel van een platenmaatschappij en zij oogden gelukkiger dan ik. Vermoedelijk waren zij tevreden met hun keuze voor muzikale dienstverlening en was het succes dat sommigen van hen genoten alleen te verklaren uit de congruentie van hun ambitie en hun talent. In mijn geval was die afwezig, want ik deed niet wat ik wilde en wat ik wel deed bevredigde niet.

De composities die ik tussen de opdrachten door schreef, hield ik in een donkere la. Mijn eigen gefluisterde pogingen om stem te geven aan wat niet gezegd kon worden mochten niet in het openbaar klinken. Inge vond dat ik aan faalangst leed, wat ik openlijk bestreed maar heimelijk erkende. Ik had een verzameling stukken liggen die net zo bizar was als de muziekgeschiedenis van deze eeuw, weerbarstige staketsels van klanken die mijn eigen lijnen volgden en niets anders waren dan zichzelf, ongenaakbaar en autonoom, onbelast door een produkt dat aan de man moest worden gebracht maar gevangen in de ruis van mijn twijfels. In tegenstelling tot het handjevol pure componisten in Nederland, dat dank zij een beurs van het Fonds voor de Scheppende Toonkunst hun ziel niet aan de handel hoefde te verkopen, verdiende ik mijn ongesubsidieerde brood met klankconfectie voor commercials en voor artiesten en producers die hitmaterie zochten. Tien jaar geleden scoorde ik mijn eerste hitjes met *Black & White*, twee meiden die bij een talentenjacht door een platenproducer waren opgepikt en *potentie* hadden. In een kwartier schreef ik een drie-akkoorden-deun en in een uur een Ineed-you-tekst, en door het talent van de regisseur van de videoclip verdiende ik binnen drie maanden twee ton netto. *Black & White*, gekleed in strak leer, bleef vijftien maanden in leven, vooral in Japan, Korea en Taiwan. Ik kocht het huis in Hilversum.

Pollo Berlijn was mijn jaargenoot op het conservatorium geweest en hij werkte niet aan reclameriedels maar aan cantates. Vorig jaar had hij in het Concertgebouw zijn *Elegie* gedirigeerd, een driedelige cantate met herinneringen aan *klezmer* – de muziek van de Oosteuropese joden – en aan de liturgie van de synagoge. Pollo volgde zijn eigen spoor, ook al zou hij zonder de steun van het Fonds nauwelijks te vreten hebben gehad. Inge vond het tijd worden dat ik mijn frustratie van me afschudde en eindelijk een keuze maakte: ofwel ik was een variétéartiest ofwel ik was een kunstenaar à la Pollo, maar het had geen zin om het één te doen en van het ander te dromen. Natuurlijk had ze gelijk. Maar ik was bang.

Ik hield mezelf zoet met de gedachte dat Mozart geen kans zou hebben gehad als *vooract* van Madonna of U2. En zijn aanvragen zouden bij het Fonds voor de Scheppende Toonkunst zijn afgewezen onder het argument dat zijn werk niet vernieuwend genoeg was.

Mijn moeder was verliefd. In de Snoek na de kennismaking met Fred bracht Inge het onvermijdelijke ter sprake. Mijn moeder wist niet dat ze ongeneeslijk ziek was en haar gedrag rechtvaardigde onze keuze: als wij haar, of Fred, zouden vertellen wat wij wisten, dan zouden we het prille geluk verstoren.

'Ze gaat dood. Op een dag. Natuurlijk. Dat is voor iedereen zo. In feite ben je ongeneeslijk ziek zodra je geboren wordt. Maar waarom zou je het gaan inwrijven? Fred is over een paar jaar tachtig. Kan ook elk moment morsdood neervallen.'

'Ik denk dat je gelijk hebt, maar toch... Het is je moeder, Bennie, een volwassen vrouw. Ik denk er ook niet elke dag aan, maar om de een of andere reden voelt het niet goed. Wij weten iets over haar dat zij zelf niet weet.'

'Gelukkig maar. En dat houden we zo. En je zou niet roken in de auto.'

'Vandaag wel.' Zoals gewoonlijk trok ze zich niets van mijn regelgeving aan.

'Wil je dood soms?' wilde ik weten.

'Je hebt me net uitgelegd dat ik dat sowieso wel doe.'

Gewoonlijk sloten de Thaise maagden van Chiang Mai hun zaak om tien uur, maar misschien hadden ze late klanten. Mijn gerechten wachtten er in de koelkast, naast mijn ambities.

Ik parkeerde voor het restaurant en zag dat aan een van de tafels nog gegeten werd.

De vrouwen slaakten verrukte kreetjes bij mijn entree, alsof Richard Gere zijn bestelling kwam halen in plaats van een kabouter op hoge hakken. Had ik een magnetron, ja toch?, één, twee minuutjes en alles was warm en heet en sappig! Toen ik wilde vertrekken stond ik oog in oog met Ruth van Dijk, mijn brooddame, directrice van JS-XTH, eigenaresse van een twintigtal reclameprijzen.

Drie jaar geleden, na het bezoek aan een festival van reclamefilms, wachtten we op het vliegveld van Miami op het vertraagde Martinair-toestel naar Amsterdam. Ze had dik krullend haar en een kleine ronde bril waarachter bruine ogen vol ironie en humor. We kenden elkaar al jaren, allebei inwoners van Hilversum, allebei ver van huis in een suite in het Fontainebleau Hilton, allebei verzadigd van het geloer aan de rand van de *pool* en van potentieverhogende diners in de restaurants van South Beach.

Ter bekroning van vier dagen vol broeierige dromen namen we op de valreep, duizelig van geilheid, een kamer in een hotel op het vliegveld. We deden alles met elkaar wat we de voorgaande jaren in stilte hadden bedacht. Een dag later deelden we de taxikosten naar Hilversum. Op de overloop van mijn huis opende ze haar koffer om het pessariumdoosje tussen haar slipjes en T-shirts te zoeken. 's Ochtends bij het ontbijt prees ze de geneugten van het huwelijk, en druk en beweeglijk bleef ze een volle week logeren, klagend over Lubbers, advertentietarieven, de hevigheid van menstruatiepijnen en het gebrek aan huwbare joodse mannen. In de tweede week kwamen we bij zinnen en keerde ze terug naar haar eigen huis. Een paar maanden later verscheen Inge in mijn leven.

Niet alleen op haar kantoor maar ook in de straten van Hilversum kwam ik Ruth geregeld tegen en we waren erin geslaagd de oude collegialiteit in ere te herstellen.

Zoen links, zoen rechts, en na enige verwarring nog eentje links. Aan haar tafel bij Chiang Mai zaten bekenden en ik groette de regisseur en produktieassistenten van een serie spotjes die Ruth had bedacht.

Hee hallo leuk je te zien alles goed?

Ik verzekerde Ruth dat ik haar morgen iets prachtigs zou laten horen en glimlachte naar het gezelschap en complimenteerde de regisseur met zijn spotjes, heel leuk waren ze, ik wist altijd meteen dat ze van zijn hand waren.

Toen ik aanstalten maakte om te vluchten, vroeg Ruth of ik haar een lift kon geven.

Ik hield de deur voor haar open. In het westen schemerde het laatste licht, hoog boven de daken vlogen zwaluwen magische routes. Waar was mijn moeder gebleven?

Op weg naar de DS onthulde Ruth dat ze al geruime tijd een vriend had, een presentator van een spelletjesprogramma. Bij het *zappen* langs de zenders was ik hem wel eens gepasseerd, een pratende WC-borstel die uitblonk in het nakauwen van de verbale drollen van de spelers. 'Waar kom je vandaan, Ellen?' 'Uit Eindhoven.' 'Uit Eindhoven? Wat leuk. En wat doe je zoal?' 'Ik ben kapster.' 'Kapster? Goh, wat leuk. En heb je hobby's?' 'Ik zwem graag.' 'Zwem je graag? Fantastisch, Ellen.'

Zonder scrupules beschreef Ruth hem: 'Is ie geestig? Nee. Intelligent? Nee. Eerlijk? Hij zou het woord niet eens kunnen spellen. Maar als je z'n lichaam ziet... elke dag drie uur in de *gym*. En ik besef dat het gek klinkt, maar weet je wat ik vooral bij hem mis? Joodse gein.'

We stapten in terwijl Ruth probeerde te achterhalen waarom de vader van haar kinderen uit een joodse moeder geboren diende te zijn. Tijdens haar filosofische zoektocht veroorloofde zij zich geen moment van stilte. Aan de manier waarop zij zichzelf over het trottoir sleepte had ik al moeten zien dat zij dronken was, maar ik bleef onnozel antwoord geven tot ze vroeg of ze een pak koffie van me mocht lenen. Koffie. Bij mij thuis. Ik kon niet weigeren en ze uitte haar nieuwsgierigheid naar de bijzonderheden van mijn liefdesleven. Ik draaide het grint op.

'Weet je,' zei ze, 'ik miste dit huis toen net zo erg als jou. Gek, hè? Ik was hartstikke verliefd op je toen.'

Ze volgde me naar binnen. Ik nam een pak koffie uit een keukenkastje en wilde dat haar aanreiken, maar ze keerde me haar rug toe en opende nonchalant de koelkast, alsof ze hier elke dag een lijstje maakte van de benodigde boodschappen.

'Ga maar eerst lekker eten, je kunt me straks wel thuisbrengen. Ik heb dorst. Waar heb je de whiskey staan? O ja, daar achter in die glazen kast in de kamer! Waar is je vriendin? Inge, heet ze toch?'

Helder herinnerde ik me weer wat me destijds in haar had tegengestaan, en hulpeloos keek ik toe hoe Ruth de Thaise bakjes in de magnetron plaatste en de keukentafel voor me dekte en een servet over mijn schoot streek.

Onafgebroken pratend – campagne dit, opdracht daar – hield ze in het oog hoe ik de hete soep lepelde. Ik had plotsklaps geen honger meer en maakte haar duidelijk dat ik nog een paar uur moest werken alvorens haar morgenochtend iets behoorlijks te kunnen aanbieden. Terwijl ik een bekertje soep en vijf stronkjes broccoli at, slikte zij drie whiskeys weg. Ik besefte dat ik geen illusies moest koesteren over mijn aantrekkelijkheid. Over elke willekeurige gulp had zij zich aandachtig gebogen en het toeval had mijn gulp laat op de avond naar Chiang Mai gebracht. Of eigenlijk: niet het toeval maar mijn moeder, de verdwijning van mijn moeder, om precies te zijn.

'Bennie, weet jij dat jij hele leuke ogen hebt?'

'Ja, dat weet ik. Maar die ogen moeten naar een toetsenbord turen want ik moet iets afmaken dat op dit moment alleen uit ellende bestaat.'

'Ellende? Je zei dat 't prachtig was!'

'Dat wordt 't. Maar dat is 't nog niet.'

'Alles wat jij schrijft is prachtig, Ben.'

De ijsblokjes dansten in haar glas.

'Ik breng je zo naar huis.'

Ze haalde haar schouders op. 'Je weet niet wat je mist,' zei ze.

Dat wist ik wel. Scherpe nagels, een hoge stem en wanneer je dacht dat haar orgasme achter de rug was doken er nog een paar slepende maten achteraan, als de finale van een Beethoven-symfonie. En ze bezat een bescheiden collectie slipjes zonder kruis waarvan ze er soms één op kantoor droeg, 'voor de kick', had ze drie jaar geleden geopenbaard.

De telefoon meldde zich en ze stond traag op. Ik wachtte met opnemen.

'Even de wc, dan mag je me terugbrengen.'

Ik pakte de hoorn en onderbrak het bandje van het antwoordapparaat.

'Al iets gehoord?'

De stem van Fred. Bezorgd en zuigend aan zijn sigarettepijpje.

'Niets,' antwoordde ik.

'Heb je haar dokter gesproken?'

'Doe ik morgenochtend.'

Fred had bijzondere inzichten noch nieuwe informatie. Hij wilde herhalen, samenvatten, variëren, en daarmee de onrust via zijn mond laten wegwalmen.

'Dat haar paspoort weg is dat geeft me echt een hoop rust,' zei hij. 'Ik ken iemand die bij de PTT werkt, of bij de KPN moet je tegenwoordig geloof ik zeggen, en die zei dat het in sommige Zuideuropese landen toch nog steeds kan gebeuren dat je geen lijn kan krijgen.'

Zo ging Fred door, in een monomane cadans. Achter me hoorde ik de keukendeur opengaan en ik draaide me om en ving de glimlach van Inge. Fred vervolgde zijn herhaling van de gebeurtenissen van de afgelopen dagen terwijl ik met open mond naar Inge keek, bang dat de verschijning van Ruth tot misverstanden leidde. Ze maakte een beweging met haar hoofd, daarmee zonder woorden vragend met wie ik belde.

Ik legde een hand op het mondstuk en fluisterde: 'Fred.'

Inge knikte en nam een pakje sigaretten uit haar tas. Ze ging zitten, zocht naar lucifers en ontdekte Ruths glas, met een rand van lipstick. Ze schoof het naar zich toe en hield het als een wapen boven de tafel, me verward aankijkend.

Fred wist niet van ophouden.

'Noord-Afrika kan ook, dat kunnen we niet uitsluiten, Bennie, ik weet wel dat jij dat niet gelooft, maar misschien is ze wel naar Cairo gegaan, wie weet? En als je ooit in Cairo bent geweest dan weet je dat je daar eerder de loterij wint dan een telefoonlijn naar Amsterdam...'

Ruth gooide de gangdeur open. Haar rok en bloes had ze achter zich gelaten en gekleed in een miniscuul slipje – verdomd, eentje uit de collectie, de hele dag met verhitte fantasieën gedragen – en een behaatje van muggengaas bleef ze op de drempel staan.

'Ta-ta-ra-ta!'

Ik keek verontschuldigend naar Inge en legde uit: 'Ze kwam een pak koffie lenen.'

*

* *

De volgende ochtend om half elf liet ik Ruth het DAT-je horen waaraan ik een uur eerder de laatste hand had gelegd. Alleen al op basis van de technische kwaliteit van mijn geluidsmix (gemaakt op een Somderafttafel) kon ik een opdrachtgever tevredenstellen, maar deze keer was ik nergens zeker van.

Bureau JS-XTH zetelde aan de Stadhouderskade tegenover Américain in een hi-tech kantoor met ongelakt hout en stalen kabels die de demontabele wanden overeind hielden.

Ruth, koel en superieur, droeg een zwart mantelpakje en halfhoge pumps die haar benen strak trokken. We ontweken elkaars ogen.

'Hallo,' zei ze, 'je kent de weg.'

Ze knikte naar de ghettoblaster op een hoektafel.

Ik wilde de spanning breken. 'Ik ben er elke keer weer verbaasd over,' zei ik joviaal, 'een goedkope ghettoblaster waaraan ik mijn DAT-je moet koppelen. De meeste reclamebureaus waarvoor ik werk luisteren op die dingen naar de kunstwerken die ik voor ze maak. Misplaatste zuinigheid.'

'Je begrijpt 't nog altijd niet,' zei ze emotieloos terwijl ze ging zitten. Ik hoorde haar panties langs elkaar schuiven en vroeg me onwillekeurig af welk slipje ze droeg. 'Onze klanten zien niet graag dat we dure dingen kopen van hun centen, de tijd van de Alfa's en lunches in het Amstel is echt voorbij. En daarbij: als het op die kutspeakertjes niet klinkt dan klinkt het op dure spullen ook niet. Zo is het toch? Wat heb je?'

'Precies wat je wilde.'

'Laat maar horen.'

Een *rip-off* van een song uit een Andrew Lloyd-Webber musical. Het klonk bekend en tegelijk nieuw.

Ik voelde me een bedrieger. Ruth keek naar de DAT-recorder, een apparaat ter grootte van een walkman, alsof ze dit digitale wonder voor de eerste keer zag.

Zelf had ik de tekst ingezongen: 'Klantum, Klantum, de wereld draait om Klantum.'

Na de tweeëndertig lange seconden die het muziekje duurde bleef het stil. Ik zei: 'Ik heb de tekst voor de fietsencampagne als uitgangspunt genomen.'

Ruth knikte: 'Kan het nog een keer?'

Ik spoelde terug en bevuilde nogmaals het kantoor met mijn auditieve afval.

De afgelopen nacht was ik nauwelijks aan werken toegekomen en vlak voor ik in de auto stapte had ik de oorpijn die ik eerder had geschreven aangekleed met tierelantijntjes uit de *sample*-doos, een computer die de tonen van een realistisch opgenomen instrument op elke gewenste manier kan toepassen.

Voor de duidelijkheid: ik koester geen bezwaren tegen het verschijnsel reclame. Soms kijk ik met plezier naar televisiespotjes of hoor ik op de radio een aardig dialoogje over een verzekeringsmaatschappij, maar de volstrekte dienstbaarheid van iets dat in aanleg vrij is van welke functie dan ook – de dooddoener dat Mozart in opdracht schreef gaat slechts ten dele op: hij schreef niet voor een spotje over een nieuw zoutje met een afwijkende kleur, ik wel – begon me te verstikken.

Inge had me met haar komst willen verrassen ('Ik dacht: er is iets heel erg mis met je moeder en ik moet nu bij je blijven. En wat vind ik? Een hete paddestoel in d'r blote kont.') en was furieus teruggereden naar Amsterdam. Ik was voor haar auto gaan staan, had haar gesmeekt om naar me te luisteren, maar niets bracht haar van de gedachte af dat ik op de paddestoel had willen kruipen. Het had geen zin om haar achterna te rijden aangezien de deur van haar appartement gesloten zou blijven. Ze had de telefoonstekker uit de muur getrokken en bleef voor de rest van de nacht onbereikbaar.

Ik moest wachten en hopen op een moment van zwakte. Toen ik onder de bezielende aandacht van de buren buiten op het pad Inge tot rede probeerde te brengen, verliet Ruth in stilte het pand. Slapeloos liep ik door het huis, woedend op Ruth en Inge en mijn eigen onvermogen. Natuurlijk had ik de catastrofe kunnen voorkomen: ik had duidelijk moeten zijn tegen Ruth, ik had tegen Fred moeten zeggen dat ik hem later terug zou bellen, ik had niet bang moeten zijn voor Inge's reactie. Maar in plaats daarvan was ik aan de lijn gebleven en had ik gebloosd en gestameld en de indruk gewekt dat ik op Ruth geilde. Toen ze in haar auto stapte gilde Inge dat ik *onbewust* op de paddestoel geilde, dat mijn ontkenningen naar gelul stonken aangezien ik de blinde gijzelaar was van mijn pik.

Ruth luisterde opnieuw. Had ze een kater? Uit de goedkope speakertjes van de *blaster* klonk de demo. Dilettantensoep. Ik had de vrouw belazerd die me jarenlang aan werk had geholpen, ik had haar vertrouwen beschaamd, en als zij zo meteen opkeek zou zij met verdrietige ogen zeggen: 'Bennie... dit kan toch niet?'

Een kleine fade-out en ik zette de DAT uit.

Opnieuw bleef het stil. Geluiden van de belendende kantoren fluisterden door de wanden. Ik legde mijn DAT terug in de zwartleren hoes.

'Het is echt knap,' hoorde ik haar zeggen.

Niet de bizarre verdwijning van mijn moeder of de onhandige ruzie met Inge brak mijn weerstand, maar de onthutsende rommel die ik had laten horen. Met open mond keek ik Ruth aan en zocht naar sarcasme in haar stem. Wat ik aantrof was oprechte waardering. *Treife* had ik haar in de maag gesplitst. Blijkbaar was ik in staat zonder enige overtuiging de juiste deun te leveren en blijkbaar was de opdrachtgever niet bij machte door het bedrog heen te luisteren.

Snotterend stuurde ik de DS over het Museumplein naar de Lairessestraat. Ik was een grens gepasseerd, ik kon met dit werk niet meer doorgaan zonder mezelf geweld aan te doen. Ook al was ik in het bezit van een kapitaal pand in het Gooi en een indrukwekkend spaardeposito, ik was toe aan een revolutie.

Ik ontsloot het huis van mijn moeder en raapte de ochtendkrant van de mat, de post was nog niet gekomen. Nadat ik een inspectieronde door de kamers had gemaakt – niets was sinds gisteravond veranderd – ging ik op de bank in de woonkamer zitten en draaide het nummer van het hoofdbureau van politie.

Om acht en negen uur had ik ook gebeld, maar toen waren de afdelingen nog niet geopend. Na drie keer te zijn doorverbonden vertelde een vrouw dat ze geen melding had van iemand die aan mijn moeders signalement voldeed en dood, gewond of ziek was aangetroffen. Het enige dat ik kon doen, adviseerde ze, was het AMC en andere ziekenhuizen bellen en vragen of ze daar een ongewone opname hadden die nog niet aan de politie was doorgegeven. Het kostte een halfuur om vier verschillende administrateurs ervan te overtuigen dat ik niet op jacht was naar vertrouwelijke informatie maar onzeker was over het lot van mijn moeder. Vervolgens belde ik het handvol kennissen en vriendinnen wier naam ik me kon herinneren, en zonder hen ongerust te maken vroeg ik of zij wisten waar mijn moeder verbleef. Daarna belde ik haar huisarts, Henk van Son. Zijn assistente verbond me door.

'Verdwenen? Hoe bedoelt u?'

'Ze is niet thuis, en niemand weet waar ze is. Wanneer heeft u voor het laatst met haar gesproken?'

'Ik denk dat dat drie weken geleden is geweest. Heeft u even, dan kijk ik op haar kaart. Ja, ze had weer veel last van haar rug.'

'Had u toen de indruk dat zij wist dat zij een tumor heeft?'

'Nee. Ze was op haar manier opgewekt.'

'Op haar manier?'

'U weet hoe uw moeder is. Zelfs als ze pijn heeft weigert ze haar situatie ernstig te nemen.'

'En ik wil dat dat zo blijft, ja.'

'Ik heb u al eerder gezegd dat ik betwijfel of dat de juiste aanpak is, maar goed.'

'En u heeft per ongeluk...?'

'Absoluut niet. Van mij heeft ze gehoord dat ze een soort wrat bij haar galblaas heeft. Ik hou me aan onze afspraak. Maar ik begrijp dat u bang bent dat ze toch van iemand heeft vernomen aan welke ziekte ze lijdt.'

'Ik sluit die mogelijkheid niet uit. Ze is van de aardbodem verdwenen.'

'Als haar lever niet meer goed functioneert kunnen er gedragsstoringen optreden.'

'Zonder dat ze lichamelijke klachten heeft?'

'In de regel niet, nee. Maar alles is mogelijk.'

'U heeft toen niets bijzonders gemerkt?'

'Pijn in haar rug, veroorzaakt door het carcinoom. Verder oogde ze als altijd: een wonder van levenszin.'

Ik belde aan bij de bovenburen. Er werd niet openge-
daan.

Ik belde aan bij het huis aan de Gerrit van der Veenstraat, het belendende pand om de hoek, en trof er een
huisman met twee jonge kinderen. Nee, hij had niks gehoord of gezien ook al was hij de hele dag thuis.

Ik keerde terug en zag hoe Fred met zijn neus tegen de
ruit naar binnen keek.

'Ha, daar ben je,' zei hij toen ik hem naderde. Hij had
enveloppen en reclamefolders bij zich. 'De postbode
kwam net langs. Iets gehoord?'

Fred zag er weer sterk en jeugdig uit, gekleed in een geel
poloshirt en gebleekte wijde Levi's, zijn voeten sokloos gestoken in spierwitte gympjes. Zijn haar was opnieuw in
een staartje gebonden. Onderweg had ik de weersvoor-
spelling over subtropische temperaturen gehoord.

'Loosdrecht of Vinkeveen, Fred?'

'Zonder Anneke? Nee, daar staat m'n hoofd niet naar.'

Terwijl ik de deur opende, zei ik: 'Gisteravond was je
nog zo ongerust, wat heb je in de tussentijd bedacht?'

'Ze moet op reis zijn.'

'Maar jij bent nu in haar leven, Fred! Waarom heeft ze
er niets over gezegd tegen jou?'

'Ze is niet alleen verstandig, ze is ook eigenzinnig, Bennie, ik vertel je niks nieuws.'

We liepen naar de woonkamer. Het was een van zon
verstoken huis met ramen op het noorden. Ik herinnerde
me kille winters achter schemerige muren, de prijs voor
koelte in de zomer.

'Wat gaan we nu doen, Fred?'

'Niks. Wachten tot ze belt.'

'En als dat niet gebeurt?'

'Dat zien we dan wel.'

'Wanneer is *dan*?'

'*Dan* is wanneer wij weten dat 't *dan* is.'

Het was vrijdag, ruim een half etmaal na Freds bericht
dat mijn moeder niet te bereiken viel. Hij bekeek de post
en vroeg: 'Gaat ze ook wel es met de trein? De Transsibe-

51

rië Expres. Die kunnen lang onderweg zijn.'

'Nee. Houdt ze niet van.'

'Ik ook niet. Is niet echt een populair joods vervoermiddel sinds '45,' zei Fred. Hij wierp kort een blik op me: 'Heb jij wel geslapen?'

'Nee.'

'Wacht nou maar rustig af, ik voel dat 't wel meevalt.'

Hij bekeek een van de enveloppen op armslengte zodat zijn verziende ogen het opschrift konden ontcijferen.

'Reisbureau Oppenmeiner,' las hij. 'Die zitten hier om de hoek op het Minervaplein.'

Ik kende het, een bureau dat gespecialiseerd was in reizen naar Israël. Fred overhandigde me de envelop, gericht aan mijn moeder, *Mevr. A. Weiss Raphaelstraat 28*.

Ik wriemelde een hoekje los en stak een vinger door het gat, scheurde de envelop open.

Een rekening. Mijn moeder had een vliegreis geboekt naar Split in Kroatië, een van de landen die zich hadden losgemaakt van Joegoslavië. Haar vertrek had afgelopen woensdagmiddag plaatsgevonden.

*

*   *

Ik belde Oppenmeiner en ene Carla, die de boeking had verzorgd, vertelde dat mijn moeder niet had getwijfeld over haar reisdoel. 'Ze wilde eerst naar Sarajevo, maar ik kon geen maatschappij ontdekken die daarop vloog. Toen wilde ze naar de stad die er het dichtst bij lag.'

Wat wilde Anneke IJsman in Sarajevo doen? Voor zo ver ik de berichten had gevolgd – wat niet ver was, het nieuws over Bosnië sudderde aan de periferie van mijn aandacht: mijn ogen zagen de krantekoppen maar mijn interesse bladerde verder – lag de stad niet meer onder vuur

52

sinds de Serviërs hun zware wapens hadden teruggetrokken. Het leven tussen de ruïnes was gereduceerd tot gebrek en rouw. In het verleden had mijn moeder als oppassende toeriste veilige cultuurcentra als reisdoel gekozen en ik kon me niet voorstellen dat ze nu de resten van de afgebrande bibliotheek van Sarajevo wilde fotograferen. Ze was niet onnozel en evenmin was ze ongevoelig voor plekken waar ellende en onrecht heersten.

Nogmaals nam ik contact op met Van Son. De verschijnselen van dementie bij mijn moeder waren misschien sterker dan ik besefte, waarschuwde hij. Ik wist niet wat ik wel of niet besefte. Maar het begon me te dagen dat deze reis niets te maken had met dementie. Hiervoor had ze inzicht nodig, vastbeslotenheid, een doel. Ik kon niet uitsluiten dat ze gek was geworden, maar als ze dat was dan leed ze aan een vorm die haar functioneren niet verstoorde. Ze *wilde* iets, en we konden dat alleen ontdekken als we haar terugvonden.

Na het bericht van Oppenmeiner stond het voor Fred vast dat ze haar verstand had verloren. 'Wie gaat er voor z'n lol naar Sarajevo of Split? Je zit daar tussen Kroatische fascisten en vluchtelingen uit Bosnië. *Big deal*.'

'Misschien wilde ze iets bezoeken,' probeerde ik. 'Split heeft toch een mooie oude binnenstad?'

'Ze wilde naar Sarajevo. Echt iedereen weet wat Sarajevo tegenwoordig betekent, inclusief jouw moeder. Nee, ze is knots geworden, en geloof me, dat vind ik om te janken, echt.'

Maar toen ik zei dat ik haar ging zoeken bood hij meteen aan om mij gezelschap te houden, 'knots of niet, ik wil haar zo gauw mogelijk terugzien'.

Ik gaf de voorkeur aan Inge als reisgenoot, maar na een half dozijn telefoongesprekken stelde zij vast wat zij wilde: 'Een paar dagen om m'n gedachten op een rij te zetten. We hebben te vaak ruzie de laatste tijd. Ik begrijp wel dat dat gedoe met die geile paddestoel niet jouw schuld is, maar het feit dat we allebei zo overspannen deden dat betekent toch iets? Om de een of andere reden zijn we allebei opgefokt en ik wil die reden nou wel es vinden.'

Ik probeerde te achterhalen of mijn moeder echt twee dagen eerder de vlucht naar Zagreb had genomen. Croatia Airlines voerde geen kantoor in Amsterdam, de passagiersafhandeling werd door de KLM verzorgd. Oppenmeiner berichtte dat de passagierslijsten aantoonden dat ze in de ou 451 naar Zagreb was gestapt, en daar drie uur later op de ou 652 naar Split. Ze had dus gedaan wat ze bij Carla had besteld.

De gedachte dat haar reis samenhing met haar laatste telefoontje, zeurde sinds de vorige avond in mijn achterhoofd. Ik reed terug naar Hilversum en zocht in de schuur de kranten van dinsdag. Op de radio-en-televisiepagina vond ik de aankondiging van een gesprek met een Bosnische vrouw, uit te zenden door een van de actualiteitenprogramma's. Was dat het? Had dat programma zo veel indruk op mijn moeder gemaakt dat ze naar Split was gevlogen? En vandaar naar Sarajevo?

Ik belde nog een keer met Inge en vroeg of zij iemand kende die bij die actualiteitenrubriek werkte. Een kwartier later vertelde ze dat ik het item kon gaan zien. Ik nam de fiets en trapte naar het NOB-dorp.

Ik bekeek de tape en stelde het me zo voor: mijn moeder maakte zich op voor de nacht en had een kopje thee voor zichzelf gezet terwijl het variété-kwartiertje na het Tien Uur Journaal op 3 ten einde liep. Ze wilde niets missen van de ontwikkelingen in Gaza en Jericho. Rabin had Arafat de hand geschud maar zij wist uit ervaring dat de wereld niet te vertrouwen was. Voordat ze het had kunnen wegschakelen bracht het actualiteitenprogramma een gesprek met een Bosnische vrouw.

De vrouw had een breed gezicht met opvallende jukbeenderen en bijna Mongoolse ogen die niet om medelijden bedelden. Fier en strak vertelde ze:

'In ons dorp hadden Servische soldaten alle moslims bijeengedreven. Mijn vader redde me. We stonden op het marktplein. Papa fluisterde dat hij gek ging doen: en in de chaos die hij zou uitlokken moest ik de benen nemen. M'n vader liet zich op de grond vallen, ging blaffen, liep op handen en voeten rond. Ik deed wat hij me had opgedragen. Ik heb mijn familieleden niet meer teruggezien.'

Mijn moeder morste haar thee en liep radeloos rond.

*

*   *

Fris zat Fred in de snikhete cafetaria van het vliegveld van Zagreb en legde zijn sigarettepijpje naast een vakkundig bereide cappuccino uit een grote Italiaanse koffiemachine. We wachtten op de vlucht naar Split.

'Mooi vakantieland,' zei Fred, suiker in het schuim strooiend. 'Maar onder de oppervlakte leven ze nog in de middeleeuwen.'

Wat ik kon waarnemen was een geordend vliegveld. Mijn vakanties had ik nooit in Joegoslavië doorgebracht, een land waarbij ik, vermoedelijk ten onrechte, beelden had van volledig georganiseerde busreizen naar toeristenpakhuizen en sjasliek-spiesen. Ik reisde liever op eigen gelegenheid naar een via-via besproken huurhuisje in een snikheet Toscaans dal waar ik besprongen werd door filosemitische muggen.

'Die Kroaten hebben aardig huisgehouden samen met de moffen,' zei Fred, 'kregen hun eigen landje omdat ze oppassende fascisten waren. Tito stak daar een stokkie voor.'

Ik had me nooit verdiept in de sores van de Balkan. Ik wist van school dat in 1914 Gavrilo Princip in Sarajevo met een schot op de Habsburgse kroonprins Ferdinand de Eerste Wereldoorlog was begonnen, en dat de Balkan een synoniem was voor chaos en politieke onbetrouwbaarheid. Net als iedereen had ik de afgelopen twee jaar op de televisie de gevechten gevolgd tussen groepen die ik nau-

55

welijks van elkaar kon onderscheiden, en was ik getuige geweest van de belegering van Sarajevo, een naam die in korte tijd uitgroeide tot het symbool van het geroemde multiculturele samenleven, in puin geschoten door de Serviërs. En hoewel ik me niet geroepen voelde een keuze te maken – wat trouwens niet meer dan een emotionele kwestie zou zijn geweest want ik zat veilig achter de grenzen van de Europese Gemeenschap – werd ik zo nu en dan aangestoken door een oud virus. Angst. Voor het eerst sinds 1945 werd er weer op georganiseerde schaal gewapende strijd geleverd in Europa, een terugval in de beschaving, een breuk met de tere vredelievende traditie die op het puin van het fascisme tot bloei was gekomen, zo las ik overal. En net als iedereen bezwoer ik de onrust door de gedachte dat anderhalf uur vliegen vanaf mijn bed weliswaar niet ver was maar nog altijd ver genoeg om me te blijven wijden aan mijn persoonlijk welvaren.

Vol aandacht roerde Fred de inhoud van twee suikerzakjes door zijn cappuccino. Vervolgens prikte hij een sigaret in zijn pijpje.

Ongewild had ik bijgehouden hoeveel hij in de lucht had gedronken, maar ogenschijnlijk beroerden de vier whiskeys en twee flesjes Kroatische wijn hem niet. Nog steeds zat hij met rechte rug en geheven kin. Alleen in zijn stem klonk de alcohol: hij sprak langzamer en met een fractie meer moeite dan normaal.

De bouwstijl van deze luchthaven onderscheidde zich niet van die van willekeurig elk ander Zuideuropees vliegveld. Aan een brede marmeren hal, tegenover een twintigtal balies van autoverhuurbedrijven en wisselkantoren, lagen de aankomst- en vertrekruimten. De cafetaria was gevestigd in een serre-achtige uitbouw aan de uiterste noordkant van de hal, met uitzicht op een groot zwart mededelingenbord waarop de vertrektijden van de toestellen oplichtten. Vanmiddag vloog de United Nations twee keer op Sarajevo.

In een hoek van de hal, vlak naast de toegang tot de cafetaria, bood een reisbureau speciaal aan un-soldaten op verlof een ontspannend uitstapje naar Romeinse ruïnes. Blijkbaar kreeg je geen genoeg van ruïnes als je er eenmaal mee geconfronteerd was.

Achter de ruiten dampte een brede straat in de zomerhitte. Blauwgespoten jeeps en kleine vrachtwagens, onder wapperende lichtblauwe vlaggen met het un-logo, volgden elkaar in een continue processie langs de automatische deuren van de hal. Legerofficieren en ambtenaren losten elkaar af in een magisch patroon, als mieren in een volksverhuizing. Deze plek werd beheerst door de un, een knooppunt in de vredesoperatie die de partijen in de Bosnische oorlog van elkaar moest scheiden.

Via de luidsprekers in de cafetaria zong Gloria Estefan een makkelijke maar effectieve melodielijn met slepende akkoorden. Zij geloofde wat zij zong. Ongetwijfeld zou zij hiermee het Eurovisie Songfestival hebben gewonnen.

Fred wenkte naar de ober en vroeg om lucifers. De man bracht een doosje.

'Die hebben ze dus,' zei Fred. 'In dit soort landen, vlak na een oorlog of nog half erin, hier kun je goed geld verdienen. Je moet weten wat er schaars is en dan breng je het. Want er is altijd, hoor je wat ik zeg?, altijd wel een manier om de schaarse spullen de grens over te krijgen. Ik heb er geen zin meer in anders had ik hier een zak centen weggesleept.'

'Wat heb jij vroeger gedaan, Fred?'

'Wat heb ik *niet* gedaan? Alles.'

'Wat is alles?'

'Dit en dat. Alles.'

'Ben je geworden wat je vroeger wilde?'

Hij nam een diepe haal van zijn sigaret.

'Ik ben naar een jeshiva geweest.'

'Jeshiva? Je bent rabbijn? Heb je er ooit iets mee gedaan?'

'In Auschwitz, ja.'

Op dezelfde manier waarop hij whiskey dronk nam hij een slok van zijn cappuccino, met een koket handje en smakkende geluidjes ter begeleiding van een beweeglijke tong die de vloeistof door zijn mond verspreidde. Hij keek vol nieuwsgierigheid naar de uniformen, de voertuigen, de etiketten op de flesjes, de woorden op de menukaart, zijn sigarettepijpje, mijn notitieboekje.

Hij vroeg: 'Wat schrijf je daarin op?'

'Dingen die ik hoor.'

'Zoals wat?'

'Een melodietje dat me te binnen schiet, of minder nog, een maat.'

'Heb je veel van die boekjes?'

'Ja.'

'Wat doe je ermee?'

'Soms haal ik er iets uit voor een opdracht. Vaak niets.'

'Mijn broer was ook musicus,' zei hij, en nam nog een slokje. 'Niet slecht, hè, die cappuccino?'

'Nee.'

'Ziet er hier niet uit als een land dat in oorlog is.'

'We zijn niet in Zagreb zelf geweest.'

'Ik durf te wedden dat je echt niks merkt. Oorlog is iets mafs. Aan de grenzen wordt gemoord en tien kilometer verderop kan een mens tevreden op een terrasje zitten fluiten.'

'Maar al die soldaten dan?'

'Theater. Honderd kilometer verder begint het echte werk. Wat mij betreft schieten ze elkaar voor hun kop. Kroaten tegen Serviërs, weet je wat dat is? Rooms-katholieke fascisten tegen Orthodox-katholieke fascisten. Nee, mij hoor je niet klagen.'

*

*   *

De douane op de luchthaven van Split toonde geen interesse voor onze bagage en we liepen door een strak gebouw van glas en staal naar de lange rij taxi's voor het luchthavengebouw: getaande Mercedessen, Opels, Lada's, Zastava's.

Ook hier trilde de lucht boven het wegdek. Uit een groep mannen naast de uitgang maakte zich de chauffeur van de voorste Mercedes los, breed, boers, met een kaal rood hoofd en fiere grijze snor, gekleed in een versleten kostuum. Hij weigerde over de prijs van de rit te onderhandelen, wees op de meter en verklaarde dat alles officieel en goedgekeurd was. Als hij sprak bewoog zijn volle snor, die als een toneeldoek zijn mond afdekte.

'Alsof je niet met die meters kunt rommelen,' zuchtte Fred. 'Ik heb geen zin om hier lang te blijven staan. Laten we maar instappen.'

Met opengedraaide ramen, gezeten op klam skaileer, suisden we over een vlak stuk land naast een hoge, ruwe bergketen van grijze steenbrokken. De huizen aan beide kanten van de smalle weg, die langs vruchtbare tuinen en boomgaarden leidde, hadden de oorlog onbeschadigd overleefd, en zo nu en dan hadden we aan de rechterkant uitzicht op een weidse baai. Vijfentwintig kilometer verder lag Split, een moderne stad rond een Romeins paleis dat door Keizer Diocletianus op een smalle landtong was gebouwd, zo had ik boven de wolken in een reisgidsje gelezen.

In 1991, aan het begin van de Bosnische oorlog, waren de stad en de streek door Serviërs beschoten terwijl waarnemers van de UN vol goede hoop op de resultaten van Genève wachtten. Blijkbaar waren de vernietigende gevolgen daarvan de afgelopen drie jaar onzichtbaar gemaakt, op een enkele ruïne na waaraan de ouderdom niet viel af te lezen.

'Door de oorlog?' riep Fred in feilloos Duits na het passeren van de derde bouwval.

De wind wapperde door onze haren en kleren.

'Alles wat kapot is hebben de Serviërs op hun geweten!' riep de chauffeur terug. Doordat hij zijn stem verhief, hoorde ik dat hij een mooie tenor had. Misschien zong hij 's avonds bij een amateurgezelschap Puccini's heldenrollen. 'Journalisten?'

'Ja!' antwoordde ik.

'Waarom zeg je dat?' vroeg Fred.

'Wat moet ik dan zeggen? We zoeken m'n moeder?'

'Misschien heeft ie haar wel naar Split gereden.'

'Ik zal het 'm straks wel vragen.'

De chauffeur vroeg: 'Zwitsers?'

'Holland!'

De man reageerde instemmend met het noemen van voetballers die in de Italiaanse competitie speelden. Waren wij hier voor het eerst? Ja, dat waren we. Voor het geval we de gebieden wilden bezoeken bood hij zich aan als gids. Drie weken geleden had hij Britten naar een Servische streek gebracht die door iedereen als levensgevaarlijk werd beschouwd, maar hij had het zelfs met zijn Kroatische kentekenplaten gehaald. Hij had die domweg vergeten te demonteren! En wisten we hoe de Serviërs reageerden toen ze merkten dat hij uit Split was gekomen en alle blokkades en controleposten had ontweken? Ze hadden hem op de schouders geklopt en *schnaps* met hem gedronken! Er waren journalisten die alleen met hem wilden rijden. Vorige week waren er twee op eigen gelegenheid de gebieden ingereden en vermoord.

'Je moet weten wat je doet, welke wegen je gebruikt en hoe je je gedraagt. De Serviërs zijn paranoïde en schieten je af voor een foute blik in je ogen. Ik ben geen waaghals, maar m'n gezin moet eten.'

'Geen toeristen?' vroeg Fred.

'Niemand. In de hotels zitten alleen vluchtelingen. Die kunnen geen taxi betalen. Trouwens, waarheen zouden ze zich willen laten rijden?'

Fred boog zich voorover om een brandende lucifer tegen de trek van de wind te beschermen en stak een sigaret aan.

'Is het dat waard geweest?' vroeg ik de man.

'Wat?'

Fred antwoordde sneller dan ik: 'Onafhankelijkheid zonder centen.'

'Natuurlijk, wat denkt u?'

'Ik heb liever centen zonder onafhankelijkheid dan andersom,' sprak Fred tot het achteruitkijkspiegeltje.

'U moet goed luisteren,' dreigde de chauffeur met wapperende wijsvinger, zonder een spoor van vriendelijkheid, 'ik ben het niet met alles eens wat president Tudjman doet, maar we leefden hier als gevangenen in ons eigen land.'

'Flauwekul,' antwoordde Fred, 'jullie hadden het goed hier maar je hebt je gek laten maken door de politici. Ga gerust je gang, maar klaag niet over de ellende!'

'Leeft u hier of ik?' De chauffeur gebaarde wild met zijn rechterhand. Ik lette op de smalle weg. 'Weet u hoe het was als je werd aangehouden door een politieagent? De zenuwen die je had omdat je niet wist of hij Kroaat of Serviër was? En als hij een Serviër was dan wist je dat ie je te grazen nam. We hebben altijd samengeleefd met de Serviërs maar we hebben nooit van ze gehouden!'

'Jullie hebben in de Tweede Wereldoorlog honderdduizenden Serviërs afgeslacht.' Fred had geen mededogen. Ik wist niet hoe ik hem het zwijgen moest opleggen.

'Ik ben van '46!' riep de chauffeur met wangen die naar purper neigden. Hij probeerde zich te beheersen en bood een verzoening aan. 'Heren! Ga eerst met eigen ogen in de gebieden kijken! En dan zult u ontdekken dat u net zo min met ze zou willen samenleven als wij. Het zijn net zigeuners, ze hebben een andere mentaliteit. Wij zijn Europeanen, de Serviërs Slaven.'

'Zigeuners,' herhaalde Fred, 'daar moet je mee oppassen.' Opnieuw wisselde hij een blik van verstandhouding met mij: 'Hebben ze ook joods bloed, die Serviërs?'

'Het zou me niet verbazen. Ze zijn onbetrouwbaar, liegen alsof het gedrukt staat, ze willen je zuster trouwen en steken een mes in je rug als je niet oppast.'

'Je bent een fascist!' riep Fred, dwars door de Balkanwind.

'Ik geloof dat ik u niet begrijp,' stamelde de chauffeur, verrast door de frontale aanval.

'Een miezerige fascist!' zei Fred.

61

Nu ontplofte de chauffeur: 'Ik heb bij de verkiezingen op de sociaal-democraten gestemd! M'n ooms zijn in de strijd tegen *Ustasjas* gesneuveld, dus ik weet wat het fascisme heeft aangericht!'

In een berm langs rijpe akkers bracht hij de auto tot stilstand en draaide zich woest naar ons om. De oude dieselkleppen van de Mercedes tikten als een machinegeweer.

'U heeft me beledigd en dat accepteer ik niet! Uw excuses! Anders stapt u maar uit!'

Fred lachte. 'Excuses? Aan m'n reet!'

'Eruit! M'n auto uit!'

'Kalm nou maar,' probeerde ik te sussen, niet wetend wie ik deze situatie het meest aanrekende, 'we kunnen toch wel met elkaar praten zonder ruzie te maken?'

'M'n auto uit! Ik hoef dit niet te pikken!'

'Dan niet,' zei Fred, 'ik heb vrienden die ons wel komen halen. Als ik Drazen Mesic bel dan is ie in een mum van tijd met een auto hier.'

Op slag bedaarde de chauffeur. 'Mesic?'

'Drazen Mesic. Vriend van me. Ik ken 'm uit Amsterdam, daar heeft ie tien jaar gewoond voordat ie naar Split kwam.'

De chauffeur probeerde zijn opgewonden ademhaling tot rust te brengen. Hij hijgde met open mond, zijn ogen vol afkeer, en draaide zich met een ruk terug naar zijn stuur en gaf verbeten gas.

Ik zei: 'Ik wist niet dat je hier mensen kende.'

'Hij schoot me net te binnen. Ik was 'm helemaal vergeten.'

'Waar ken je die Mesic van?'

'Ach, dit en dat. Hier en daar.'

Wasgoed wapperde op de balkons van alle vijftien verdiepingen van het Marjan Hotel, een grauwe blokkendoos aan de haven van Split. Binnen, op de treden van de versleten trappenhuizen, speelden kinderen. Brede moeders droegen hun boodschappentassen door schemerige gangen, die naar doorgekookt voedsel roken. Lampen waren defect, plinten en delen van de lambrizering losgetrokken.

Gevluchte families waren in de kamers ondergebracht, etnische Kroaten die door Moslims of Serviërs uit hun dorpen in Bosnië waren verdreven. De voorlaatste vrije kamer was door een Amerikaanse journalist betrokken, dus Fred en ik moesten samen achter één deur.

Fred nam een douche. Ik had nooit eerder van nabij een man van zijn leeftijd bloot gezien en probeerde de aanblik van zijn geslacht te vermijden, maar Fred liep zo vaak op en neer tussen de badkamer en de reistas op zijn bed dat ik zijn grijze schaamhaar en laag hangende ballen wel moest zien. Het was me niet geheel onbekend dat mensen tot op hoge leeftijd seks met elkaar hadden, maar de gedachte dat Fred en mijn moeder zich aan iets dergelijks wijdden verwarde me. Zij was mijn moeder, niet de minnares van een vreemde vent. En zeker niet van dat *ding*.

Door de wanden klonken de geluiden van een flat vol leven. Huilende baby's, het gedreun van een *housebeat*, gillende waterleidingbuizen, het doortrekken van een wc, de rondzwevende toetsaanslagen van een pianosonate van Chopin, hollende kinderen op de betonnen vloer van de gang.

Aan het einde van de middag liepen we van het hotel, gelegen tegenover de passagiershaven aan de zuidelijke kant van de landtong, naar de boulevard van de oude stad, het zenuwcentrum van Split. Als ze hier was, dan zou ze een keer moeten langswandelen.

Het was warm en het stille water tussen de havenarmen stonk naar verrotting. De weg langs de baai werd nauwelijks bereden en in de stilte golfden de kreten van de meeuwen tegen de gesloten puien van verlaten toeristenwinkels. Onder de brede luifel van Café Adriana namen we plaats op gietijzeren stoelen en keken uit over de baai achter de met palmen omzoomde kade: rechts lagen ons hotel en de jachthaven, links dreven vette cruiseschepen en veerboten. De horizon werd beheerst door Brač, een eiland dat vele malen groter was dan de landtong van Split. Een eiland zou ze nooit bezoeken, tenzij er een grote stad op lag.

De voor verkeer afgesloten boulevard was een paar honderd meter lang en het rituele flaneren had al een aanvang genomen. Pubers en adolescenten, gekleed als hun leeftijdgenoten in Amsterdam of Parijs, slenterden zo achteloos mogelijk naar onzichtbare bakens, waar ze een moment bleven staan of meteen rechtsomkeert maakten om het slenteren te hervatten in de richting van de korte rokjes of gespierde borstkassen op een ander deel van de boulevard. Ze hadden hier geen blèrende ghettoblasters op de schouders geladen, alleen de stemmen en voetstappen van de wandelaars ruisten onder de palmen, het geluid van voorbije eeuwen.

Op de bankjes langs het water praatten de ouderen. Mannen met broeken die tot aan hun oksels reikten en in het zwart geklede weduwen met hoofddoekjes zaten in groepjes in de gouden zon, met gebleekte ogen die te lang in het gezicht van deze eeuw hadden gekeken. Ook al passeerde een enkele keer een witte UN-jeep met blauwe vlag, blijkbaar gerechtigd om door het voetgangersgebied te rijden, vergeleken bij het baltsgedrag van de flanerende jongeren was oorlog hier een ijle abstractie. Dit had Sardinië of Sicilië kunnen zijn. Als mijn moeder in deze stad verbleef, dan hoefde ik me geen zorgen te maken over haar veiligheid. Toch was ik bang.

We dronken wijn, kauwden op olijven en stelden een plan op. Waarschijnlijk werden de aanwezige buitenlanders centraal geregistreerd – het land verkeerde in de praktijk nog in oorlog – en we dienden dus contact op te nemen met de politie, die de registratie, zo namen we aan, wel zou verzorgen. Desalniettemin besloten we alle hotels te bellen, de ziekenhuizen, de apothekers (misschien had ze ergens medicijnen gekocht), de doktersdienst, de reisbureaus. Ik noteerde de punten in mijn boekje. We bekeken een plattegrond en stelden vast dat de binnenstad van Split een oppervlakte van slechts één vierkante kilometer besloeg. De buitenwijken strekten zich over het hele schiereiland uit en waren moeilijk te voet te doorkruisen. Achter ons hotel lag op de uiterste punt van de landstrook de Marjan, een heuvel die tot tweehonderd meter boven de zee reikte, een dreumes vergeleken met de ruwe rotsketen van meer dan zevenhonderd meter hoogte die ten oosten van de stad liep en de laaggelegen strook langs de Adriatische kust van het binnenland scheidde. Van de oorlog.

'Wat nou als ze naar Sarajevo is gegaan?' merkte Fred op.

Ik antwoordde dat ik gelezen had dat Sarajevo van de buitenwereld was afgesloten; je kon er alleen via de lucht komen. In Zagreb waren we vanuit de vertrekhal getuige geweest van de inscheping van een detachement UN-soldaten in een van de twee gigantische transportvliegtuigen die op het platform stonden, twee treurende witte vogels met doorhangende vleugels, platvoeten en een enorme open-geklapte staart, waarin de lange rij uniformen verdween.

Fred zei: 'Voor geld is er altijd wel iemand te vinden die het met een auto probeert.'

'Wat heeft ze er te zoeken?'

Fred haalde zijn schouders op: 'Misschien wilde ze gaan helpen.'

'Helpen? In Sarajevo?'

Fred reageerde niet op mijn scepsis.

'Ze heeft het besef verloren dat er verschil is tussen fictie en werkelijkheid. Zoiets moet het zijn. Ze zag die Bosnische vrouw op de televisie, ze had medelijden en ze wilde helpen.'

'Ze is de laatste jaren niet eens gaan stemmen,' bracht ik tegen zijn theorie in.

'Dat is wat anders, Bennie, ze belde elke dag om over politiek te praten.'

Ook zijn oren had ze nodig. Het was voor haar van levensbelang om de wereld te beschrijven en te beoordelen. Ze kende geen twijfels over wat goed en slecht was. Goed was alles wat joden veiligheid schonk, slecht was alles wat joden schade berokkende.

Fred dacht blijkbaar hetzelfde als ik: 'Wat weet je van haar oorlogstijd?'

'Niet veel. Ze heeft ondergedoken gezeten.'

'Waar?'

Verbaasd vroeg ik: 'Heeft ze 't er met jou nooit over gehad?'

'Nee,' zei Fred. 'Toen ik ernaar vroeg, zei ze dat ze er nog niet over wilde praten. Ik heb niet doorgevraagd. Als ze het verdrongen heeft dan is dat best, zolang ze er maar geen last van heeft. Het is ook niet echt mijn favoriete onderwerp.'

'Ze heeft in Brabant ondergedoken gezeten. Bij boeren in dorpen in de buurt van Den Bosch. En het laatste deel van de oorlog bij een spoorwegman, een gezin van negen kinderen. Ook in Den Bosch.'

'Haar familie is weggehaald?'

'Haar ouders en haar tweelingbroer. Benjamin. Ben ik naar genoemd.'

'Tweelingbroer? Heeft ze nooit verteld. Ik dacht dat ie een paar jaar ouder was. Nog familie?'

'Nee. In '48 is ze uit Brabant weggegaan en heeft in Amsterdam werk gevonden bij een stoffenhandel. Daar ontmoette ze m'n vader. Die was kleermaker.'

'Daar heeft ze me wel alles over verteld. Sprak ze over de onderduik?'

'Nee. Weinig. Een enkele keer heeft ze een uitbarsting en vertelt ze opeens in paniek over iets van toen. En dan is het weer een tijdje weg. Soms vertelt ze iets over de sterke band met haar broer. M'n vader zei er helemaal niks over. Ze deden net of het niet was gebeurd. Ze hadden het niet verwerkt.'

'Geloof jij in dat soort dingen?'

'In verwerking? Ja.'

Fred zei: 'Nog elke dag rouwt ze om de dood van je vader.'

'Rouwt? Misschien heb je gelijk. Wat weet je nog meer dat ik niet weet?'

'Dat je het licht in haar ogen bent. Ze aanbidt je.'

'Ze is ook erg gek op jou.'

'Daar vis ik niet naar. Ik zeg dat ze je aanbidt. En dan zeg je: wat heerlijk.'

66

'Wat heerlijk,' herhaalde ik.

Fred glimlachte en legde een hand op de mijne. 'We vinden haar wel. Moet jij es zien.'

De weidse eetzaal van het Marjan Hotel bood stalinistische gezelligheid gestoffeerd met vaalrood fluweel en spiegels van rookglas. In een hoek poogden dikbuikige Abba-fans hun helden te evenaren met stokoude Egmond-gitaren, een prehistorische Roland en een Pearl-drumstel die onder Tito al waren stukgespeeld. Evengoed hadden ze een greep in het keukengerei kunnen doen want alles klonk naar rammelende pannen en brekend aardewerk. Groepen soldaten en Britse zeelui hielden ons gezelschap achter de hoge ramen, uitkijkend op de lichtjes van de veerboten en de passagiersterminal aan de overkant van de haven. Het voedsel deed denken aan natte kranten, maar Fred at met smaak de borden leeg. Tegen middernacht zochten we onze kamer op. Ik was moe van de reis en de zware rode Kroatische wijn, waarvan we sinds het einde van de middag twee flessen hadden gedronken.

Tijdens zijn slaap gaf Fred een recital van gevarieerde bijgeluiden, wat me lang wakker hield. Om een uur of vier hoorde ik hem opstaan en de kamer verlaten. Pas na zijn vertrek kon ik ontspannen slapen, tot ik om zeven uur, zoals verzocht, door de receptie werd gewekt. Fred was niet teruggekeerd.

Een halfuur later trof ik hem beneden in de eetzaal aan. Hij had al ontbeten en voerde in een mij onbekende taal een gesprek met een serveerster, een donkere vrouw van veertig met koolzwarte ogen en brede heupen. Ze lachten en de vrouw wendde zich tot mij, of ik thee of koffie wilde. Met slepende pas, als een Braziliaanse, liep ze op het ritme van een Kroatische versie van *Paloma Blanca* naar de keuken, George Baker's oerhollandse idee van een Spaanse meedeiner. De wereldstatus van deze song benaderde die van Mozart's *Requiem* en George had er een onmetelijk fortuin mee verdiend. Ik wist dat hij het in een uurtje had geschreven. De speakers in het restaurant hadden de kwaliteit van lege conservenblikken.

Ik vroeg Fred of het Russisch was wat ik had gehoord.

'Ja.'

'Wat spreek je nog meer?'

'Stuk of tien talen. Kost me geen moeite. De één kan schaken, de ander heeft een absoluut gehoor, de derde kan elk wijf naaien.'

'Kon je niet slapen?'

'Ik slaap drie, vier uur maximaal. Voor mijn doen heb ik vannacht extreem lang gepit.'

We brachten de ochtend door met telefoneren en legden aan tientallen mensen uit dat we op zoek waren naar een verdwenen vrouw. We aten een naar modder smakend visje op het terras van Adriana en keken gespannen naar elke oudere vrouw die de boulevard betrad. We bezochten het hoofdbureau van politie in een wijk die sterk deed denken aan Jeruzalem of Tel Aviv: stoffig, ongeplaveid, vervuild, met hoekige, witgesausde gebouwen en platte daken waarop wouden van antennes stonden.

Een inspecteur die Engels sprak met een rauw Amerikaans accent stond ons te woord. Hij had een decennium in Detroit als *cop* gewerkt, het kind van Kroatische immigranten dat vol gevoelens van vaderlandsliefde was teruggekeerd naar een stad die hij nooit had gekend. We wilden weten of het mogelijk was dat mijn moeder vanuit Split naar Sarajevo was gereisd. Zonder contacten met een smokkelbende of zonder hulp van de un was dat uitgesloten, zei hij.

Urenlang zochten we in de oude binnenstad, in het labyrint vol winkels, cafés, restaurants, reisbureaus, deels gebouwd in de muren van het paleis van Diocletianus, en toonden mijn moeders foto. Niemand had haar gezien.

We waren niet de enigen die met foto's langs obers en winkelbedienden gingen. Ook Kroaten zochten familieleden, verdwenen in de chaos van de vlucht, uit het oog verloren tijdens een voettocht door vijandelijk gebied.

Vaak waren de steegjes niet breder dan tweeëneenhalve meter, gehuld in de schemer van hoge muren die in willekeur leken te zijn ontstaan. Bouwstijlen uit vele eeuwen onderscheidden zich verdiepingsgewijs van elkaar, gebruik makend van diepgrijze stenen die ooit door Romeinse slaven uit de bergen waren gehakt. Vele eeuwen regenwater en hergebruik hadden de stenen gepolijst tot hun oppervlak zilverachtig glom, als antieke spiegels. De blauwe hemel had zich achter onzichtbare daken teruggetrokken, de steegjes in koelte achterlatend, ruimte gevend aan de neonreclame die de passant naar winkelkelders lokte, waar schoenen, broeken of zeldzaam originele kruiken uit het paleis ('Origineel? *My ass*,' zei Fred.) werden aangeboden.

De toeristen meden de Balkan, maar de paleisgangen, die vier met terrassen bezaaide pleintjes verbonden, waren vol drukte. Uit elke deur zweefde muziek, van Madonna tot onbekende lokale heiligen, rond elke tafel waren de stoelen bezet.

Achter de zuidelijke paleismuur troffen we een grote markt aan, bezocht door duizenden die schouder aan schouder langs de kramen en kratten schuifelden. Groenten en fruit, kleding en schoeisel in overvloed. Op verschillende plekken tussen de kramen werd een enkele chocoladereep of een paar slippers aangeboden door mensen die oogden als leraar, journalist of schrijver, met bebrilde, ernstige gezichten die dof het lot toonden dat hen had getroffen.

Aan het einde van de middag keerden we per taxi naar ons hotel terug. Ook onder de douche suisden in mijn oren de geluiden van de volle stad, mijn ogen waren rood. We wisten nog steeds niets. Ik wilde een uurtje slapen, Fred zou in de bar op me wachten.

Om zeven uur wekte hij me. Ik had langer geslapen dan ik me had voorgenomen.

'Je lijkt wel een pubermeisje,' zei Fred, 'ik ken niemand die zo kan pitten.'

Ik richtte me op uit de diepte van een droom: 'Ik was stuk.'

'Kleed je aan. Over een halfuur moeten we bij... shit, hoe heet 't ook weer... hier vlakbij is 't. We hebben een afspraak.'

'Met wie?'

'Het is hier rechts bij de jachthaven. Beste restaurant in Split.'

'Wie zien we daar dan?'

'Drazen Mesic. Demitrium! Zo heet die tent!'

Een halve kilometer ten zuiden van het Marjan Hotel lag de jachthaven van Split. Zeilboten en kleine jachten, de onmiskenbare symbolen van een welvarende middenstand, dreven zij aan zij tussen netwerken van houten vlonders. Langs het water liepen we naar Demitrium, een laag wit gebouw dat op een rots achter de haven stond.

Ongetwijfeld fluisterden de jongens en meisjes op de bankjes langs de kade eeuwige waarheden in elkaars oren. Mannen met platte petten en gelooide gezichten, verdreven boeren die we eerder in de hal en gangen van het hotel hadden toegeknikt, staarden naar de grote schepen die aan de overkant hun neuzen openden en auto's en containers braakten. De zon zakte achter de Marjan-heuvel. Het water wiegde tussen de havenarmen. Krekels concerteerden *unplugged*. Ik was op zoek naar mijn moeder.

's Ochtends vroeg had Fred met Mesic gebeld. In Amsterdam had hij met hem zaken gedaan, en Mesic was enkele jaren na Tito's dood weer in zijn geboortestad gaan wonen. Ooit had hij Mesic geholpen. 'En hoe gaat dat bij zaken? Jij helpt hem, hij helpt jou.' Maar hij was hem uit het oog verloren.

Voor de ingang van Demitrium, dat we bereikten na een klim over een slingerweg, stonden twee glanzende Chevrolets geparkeerd. Een uitsmijter die een meter boven ons uittorende had zich breed voor de deur van het restaurant opgesteld, maar bij het horen van Freds naam boog hij als een circusclown en stapte opzij om ons door te laten. Een witte gang leidde naar een verlicht aquarium en een ontvangstbalie van spiegelend notehout. Een blonde vrouw met stralende lach heette ons welkom. In een strakke rok wandelde ze langs tientallen onbezette tafels en bracht ons naar een wand van gesloten gordijnen aan de achterkant van het restaurant.

'Wat een kont, hè?' zei Fred.

'Let jij daar nog op?'

'Sinds wanneer ben ik blind?'

De vrouw maakte een opening in de gordijnen en we betraden een terras onder een open hemel, purper van de laatste zonnestralen, en keken uit op de haven, de stad, de Dalmatische bergen.

Drazen Mesic was niet ouder dan vijfenvijftig. Op de nek van een beer rustte een hoofd dat geschoren was om de toenemende kaalheid te verbloemen. Zijn zijden kostuum had zijn oorsprong op een Italiaanse tekentafel, hij droeg een boordloos hemd en stond op krokodilleleren loafers. De ringen om zijn vingers verraadden een voorkeur voor groot en opzichtig, net als bij Fred, die zijn hand uitstak maar niet om die van Mesic te schudden.

Mesic boog en kuste Freds hand. Hierbij keek mijn moeders vriend onbewogen toe, alsof hij vertrouwd was met dit ritueel. Daarna kusten ze elkaar op beide wangen.

'Dit is Ben.'

Ik schudde Mesic's hand.

'Hallo, Ben, leuk je te ontmoeten,' zei Mesic in vlekkeloos Nederlands. Een raspende bariton.

De vijf mannen aan de belendende tafel waren bij onze binnenkomst opgestaan en glimlachten breeduit terwijl hun ogen de gevaren onder mijn oksels maten. Twee van hen droegen wapens, grote pistolen met lange kogelmagazijnen, een soort handmitrailleurs.

We namen plaats en Mesic schonk ons in. Dom Pérignon van tweehonderd gulden. Fred sprak Servokroatisch met hem, of was het Bulgaars of Albanees? Ik wachtte tot ik in het gesprek zou worden betrokken. Wie was Fred? Wat was het verleden dat deze mannen bij elkaar had gebracht? Mijn vader had een klant met wie hij Jiddisch sprak, en dan keek ik naar zijn ogen en mond en vroeg mij

71

af of nu alles in zijn hoofd vreemd en betoverd was.

De blonde vrouw plaatste borden op tafel, drie zilveren schaaltjes met zwarte kaviaar, zure room, warme blini's.

'Iraanse,' zei Mesic tegen mij, 'kan Mitterrand in Parijs niet krijgen.'

Aan de overkant van de baai werden duizenden lichten aan de boulevard en de flatgebouwen op de heuvels achter de oude stad ontstoken. Mijn moeder had deze plaats doelbewust uitgekozen en ik wilde weten waarom. Sarajevo. Bukovar. Mostar. Tuzla.

We aten van de kaviaar en ik luisterde naar een taal die ik niet kende.

Fred legde een hand op mijn schouder.

'Drazen heeft een idee waar je moeder is.'

De kale berekop knikte: 'We hoorden een verhaal over een vrouw. Vermoedelijk is zij degene die jullie zoeken.'

*

*   *

De mannen van Drazen Mesic waren op zoek naar een zwendelaar die in een kroeg had gepocht dat hij de Nederlandse zilvervloot had gewonnen, en in afwachting van hun resultaat zetten we de volgende ochtend onze eigen speurtocht voort: we bezochten ziekenhuizen, taxistandplaatsen, hotellobby's.

Tot nu toe was Fred energieker geweest dan ik. Met Mesic had hij zich zonder merkbare gevolgen aan de alcohol gewijd en 's ochtends in de eetzaal trof ik hem opnieuw met de donkere serveerster aan. Met glanzende ogen en vrolijke handen voerde hij een gesprek met haar.

Rond het middaguur begonnen zijn krachten te breken. Bij het postkantoor aan de rand van de oude stad hielden we een taxi aan en Fred liet zich naar het hotel rijden om een uurtje te rusten. Ik wilde nog zoeken. De onrust knaagde aan mijn maag.

In het postkantoor bevond zich een modern communicatiecentrum met gloednieuwe telefooncellen en een computergestuurde centrale. Direct kon ik over een lijn beschikken. Ik belde Inge.

Ze miste me. *Ik jou ook.* Als ik terug was moesten we goed met elkaar praten, zonder uitvluchten, zonder grapjes, en dat gedoe met Ruth vergeten. Ik vertelde wat we hadden gedaan en vroeg of zij intussen ook de tape met de Bosnische vrouw had gezien. Nog niet, en ze vond dat ik er niet te veel waarde aan moest hechten. Wat er met mijn moeder gebeurde was het gevolg van een lang proces waarbij haar ziekte ook een rol speelde. Ze wilde me het artikel sturen dat ze nog net op tijd voltooid had, ze klonk opgelucht. Ik gaf haar het faxnummer van het hotel en liep vervolgens naar het Narodni Trg, het centrale pleintje van Grad, en vroeg me af of de nabijheid van Sarajevo het enige was dat mijn moeder in deze stad had aangetrokken, maar op die tv-beelden na vond ik geen enkel argument.

Langs de verlaten reisbureaus en lege winkels met duikuitrustingen wandelde ik terug naar het hotel.

Het was een warme dag aan de Adriatische kust. Het water in de haven klotste loom tegen de schepen die aan de passagierskaden lagen afgemeerd. Vanuit zee woei warme zilte lucht naar de stad. Op een paar uur rijden lag Mostar, waar een jaar geleden Kroaten en moslims elkaar op een dag als vandaag hadden afgeslacht.

Inge's fax lag voor me klaar toen ik terugkwam in het hotel. Over de crisis van de Nederlandse publieksfilm. Over het gebrek aan talent, over het gebrek aan bezoekers.

Toen ik onze kamerdeur opende, hoorde ik muziek. Fred lag naakt op bed terwijl de donkere serveerster op de vloer op haar knieën zat, zijn niet onaanzienlijke geslacht in haar mond. Haar haren hingen over haar ogen en verhinderden dat zij mij opmerkte. Driftig bewoog ze haar hoofd op en neer, Freds vochtige geslacht met beide han-

73

den vasthoudend. De in het nachtkastje gebouwde radio speelde een lokale wals, vergelijkbaar met een vette Duitse schlager, en het duurde enkele seconden voor de essentie van dit tafereel tot mij doordrong. Vermoedelijk tegen betaling had hij de serveerster bereid gevonden tot deze dienstverlening. Dit verstond hij onder eventjes een uurtje rusten. Hij belazerde mijn moeder.

Opeens ontdekte Fred mijn gestalte. Zonder de serveerster attent te maken op mijn aanwezigheid gebaarde hij met een kwade hand dat ik de kamer moest verlaten.

Ik dronk een wodka aan de bar, een hoek van de hal die de vluchtelingen meden aangezien de prijzen op Westeuropees niveau lagen. Na tien minuten schoof Fred naast mij op de barkruk. Snel in de kleren geschoten, het weelderige haar ongekamd.

Hij zei: 'Ik had de deur op slot moeten doen.'

'Die was op slot maar ik heb ook een sleutel.'

'Ik had er een stoel voor moeten zetten.'

'Je bent nog tot heel wat in staat, Fred, op jouw leeftijd.'

'Jaloers?'

'Ik ben benieuwd of mijn moeder van jouw escapades weet.'

'Waarom zou je elkaar alles vertellen?'

'Omdat mijn moeder alles wil weten. Omdat ze eerlijk is en niks te verbergen heeft!'

'Jij weet heel weinig van jouw moeder, Bennie. Ober! Wat drink je?'

'Wodka.'

Hij wees naar mijn glas en op zichzelf. De ober knikte.

'Ze kan wel dood zijn, Fred, en wat doe jij? Je geeft de eerste de beste serveerster wat centen om je snikkel te wassen.'

'Die eerste de beste serveerster is professor. Natuur- en wiskunde. Gevlucht.'

'Dat was dus een onderzoek naar elementaire deeltjes? Ik feliciteer je.'

'Geestig, Bennie.'

'Ik vind het naar voor mama.'

'Jij kent mama niet.'

'Ze is gek op je. Ze is je trouw. Ze zou 't nooit kunnen verdragen dat jij haar ontrouw bent.'

'Bennie, lul niet. Zij heeft altijd gedaan waar ze zin in heeft. Ook nu toch?'

'Maar niet *dat*. Zo is ze niet.'

'O jawel, jongen.'

'Jij bent haar eerste vriend sinds mijn vader. Ze is niet iemand die met Jan en Alleman aanrommelt.'

'Bennie, alsjeblieft.'

'Als het anders is zeg het me dan!'

'Je wil dit niet horen, Ben.'

'Ik wil alles horen.'

'Niet dit.'

'Welke duistere kant van mijn moeder ken jij? Bullshit, Fred.'

'Bennie, jongen, weet jij waarom ze toen voor de eerste keer op reis is gegaan? In d'r eentje, onzeker in de bus naar Parijs? Waarom? Voor het Louvre? Voor De Denker van Rodin? Voor de ijzerconstructie van de Eiffeltoren? Bullshit, Bennie. Weet je waarom? En dat is wat ze mij over die reisjes van haar heeft verteld: omdat ze een vent wilde! Een vent! Als jouw moeder op vakantie is, in Barcelona of Stockholm of Milaan, dan belt ze een leuk escortbureau en laat een fijne gigolo komen. Die haar kan kussen als een vent, haar kan strelen als een vent, haar kan naaien als een vent, haar kan laten kla...'

'Hou je mond, ik wil het niet horen.'

Beiden kregen we een wodka, maar Fred stond op.

'*Absit reverentia vero*,' zei hij, en liep terug de hal in. Je verzwijgt de waarheid niet om iemand te ontzien.

Ik vluchtte naar buiten en liet de zon in mijn ogen branden. Ik schaamde me om wat ik te horen had gekregen. En ik schaamde me om de naïviteit waarmee ik jarenlang naar mijn moeder had gekeken. Alsof ze een lichaamloos instituut was, een kokkin met een stem, een etherisch wezen dat genoeg had aan 'de structuur van alledag'.

Een van Mesic's Chevrolets stopte voor het hotel en de

gorilla die de ingang van Demitrium had bewaakt stapte uit. Hij glimlachte toen hij me zag en gaf me losjes een hand, alsof hij bang was dat hij bij te grote druk mijn vingers zou verbrijzelen. De airco van de auto had de huid van zijn gezicht drooggehouden.

'We hebben nieuws. Vrienden van ons aan de overkant hebben de kerel gegrepen die uw moeder heeft getild.'

'Aan de overkant?'

'Ancona.'

'Waar is mijn moeder?'

'Moet ik u brengen?'

'Graag.'

'Stapt u in.'

Het reizigersstation van Split ligt vlak achter de passagiersterminal van de haven. Het is een kopstation waar de locomotieven worden losgekoppeld van de wagons en iedereen dient uit te stappen. Er zijn geen doorgaande reizigers.

Het goederenstation ligt elders, aan de noordkant van de landtong, bij de havens waar de vrachtschepen afmeren, en daar reed de assistent van Mesic me heen. Hij vertelde over ene Slavko, bewoner van een nauw kamertje in een verpauperd pand in Veli Varos, de buurt naast Grad, de oude wijk rond het paleis.

Deze Slavko vervloekte de oorlog. Geen toeristen, geen klanten. Op het strand achter het station sprak hij Britse, Duitse, Hollandse meisjes aan. Terwijl hij over zijn rijke leven als piloot, journalist, chirurg, miljonair vertelde, liet hij hen naar zijn mooie tanden en Latijnse ogen staren. Hij danste met hen in een van de toeristendisco's en naaide hen onder de bomen van de Marjan, met hun billen op geurend gras. 'Eucalyptus,' verklaarde de gorilla. Slavko stelde er belang in, noem het een soort beroepseer, om de meisjes van zijn natuurlijke gaven te laten genieten. In de regel klonken hun orgastische kreten tot voorbij Jupiter. 'Of Pluto, net wat je favoriete hemellichaam is,' aldus Mesic's bodyguard. Na één uur waren de toeristes zijn verslaafde dienaressen.

Aan het einde van een week van eindeloze liefde en volwassen huwelijksplannen vond er plotseling een catastrofe plaats met Slavko's moeder. Zijn geld stond vast op de bank en hij had dringend een bedrag nodig voor het omkopen van een arts. Verblind door verliefdheid boden de meisjes hem hun vakantiegeld aan, duizend gulden, twaalfhonderd mark, vijfhonderd pond, en bij herhaling weigerde hij het geld dat zijn teerbeminde wilde voorschieten. Tot hij tot tranen bewogen, 'overlopend van moederliefde', accepteerde onder voorwaarde dat hij het morgen kon terugbetalen. En hij verdween naar Sibenik, Zadar of een andere kustplaats, waar de volgende fabuleuze secretaresse of verpleegster hem wachtte, de tenen in het warme zand, de harde tepels hunkerend in het gebloemde topje.

En buiten het vakantieseizoen? vroeg ik.

Volgens de gorilla hief Slavko dan in de lokalen rond de havens het glas met douaniers en havenarbeiders. Hij had een paar betrouwbare tipgevers. Een kist met auto-onderdelen, een doos met kookplaten, een baal koffie. 's Nachts sloop hij een onafgesloten pakhuis binnen en bracht de buit naar helers in dorpen die buiten de toeristenroutes lagen, streken waar mannen gewapend het land bewerkten en bloedvetes van generatie op generatie werden uitgevochten. Trouw betaalde hij zijn tippers.

Zo nu en dan haalde Slavko een aardige som geld binnen. Dan stapte hij op het veer naar Ancona en nam een kamer in het Plaza, kocht twee, drie kostuums, en zoop, gokte en neukte tot de hotelmanager de kostuums confisqueerde, de laatste flappen uit zijn broekzak trok en hem op straat liet gooien. Toch had Slavko in Ancona andere plannen gehad. Wist mijn beschermer. Slavko had het onfeilbare systeem voor de blackjack-tafel. De gouden tip voor een paardenrace. De doorgestoken kaart bij de hazewindhondenrace. 'De droom van elke lul de behanger.'

Terug op de boot, berooid en met een dreunende kater, vroeg Slavko zich dan af waarom hij deze straf over zichzelf afriep. Na terugkeer in Split sleepte hij zich naar de basiliek van de Sint Domnius in het hart van het oude paleis en stak op het graf van de Romeinse keizer walmende kaarsen aan, vol gevoelens van boete en wroeging. 'Zo zijn wij, katholieke zondaars.'

Deze keer had Slavko het slachtoffer niet gezocht. Het had hem verkozen, 'althans, zo vertelde hij het aan mijn collega's'.

Slavko wandelde langs het verlaten station dat langgerekt naast de haven lag en passeerde de oude vrouw. Er reden geen treinen meer op Split. Bussen vervoerden reizigers die net van het veer waren gestapt, Kroaten die ooit een Italiaanse verblijfsvergunning gekocht of gekregen hadden.

De vrouw wachtte midden op de stoep en staarde naar de schepen. Ze was schoon en goed gekleed, maar de blik in haar ogen vertelde hem ('zijn mensenkennis was meedogenloos maar liet hem in de steek wanneer hij in de spiegel keek,' lachte de gorilla) dat ze iets zocht dat niet van deze wereld was.

'Sarajevo,' zei ze, 'de bus naar Sarajevo.'

Slavko herkende de taal want hij had tientallen vruchtbare vrouwen uit dat rijke land getild. Niet eerder had hij een oudere vrouw bewerkt. Ze was minstens zestig en had zich in een krankzinnig idee verloren.

'Geen bus,' antwoordde hij in zijn variant van het Nederlands, gebrekkig maar genoeg voor charme en luchtkastelen, 'geen trein, niets naar Sarajevo. Wat is in Sarajevo?'

Ze was verrukt dat iemand haar taal sprak en vertelde dat ze naar Sarajevo wilde om de mensen daar te helpen.

'Niet goed Sarajevo. Oorlog.'

Hij deed dit altijd. Zijn katholieke geweten eiste het van hem. Eerst waarschuwen, op afstand blijven, en pas accepteren nadat er aandrang was uitgeoefend. Ze wilden het van hem. Ze smeekten erom.

De vrouw wist dat er oorlog was. Dat was juist de reden dat ze erheen wilde. Hij legde uit hoe de situatie daar was, de omsingeling door de Serviërs, de honger en ziekten, de machteloosheid van de UN, maar ze wilde helpen, echt helpen. Ze zocht een manier om de nood van de mensen daar te lenigen.

Slavko beheerste zich en waarschuwde dat er veel slechteriken rondliepen, bedriegers, oplichters.

'Mensen niet goed. Niet eerlijk. Pas op.'

'Maar ik wil iets doen. Ik kan niet toelaten wat er gebeurt. De wereld staat te kijken en de mensen sterven. Zoals vroeger.'

'Laten we drinken. Dorst?'

Ze wilde niet mee naar een van de cafetaria's naast de gesloten stationshal en hij bracht haar naar een café aan de boulevard. Limonade en een sandwich. Het was beter dat ze terug naar huis ging, zei hij, het was gevaarlijk voor een vrouw alleen in een oorlogsland. Natuurlijk hoopte hij dat ze bleef en zich niets van zijn waarschuwingen aantrok, maar het protocol diende te worden gevolgd.

'Hier is het rustig,' zei ze verbaasd. 'Hoe kan dat? Jullie zijn in oorlog, in Sarajevo sterven de mensen als vliegen, en jullie doen alsof er niets aan de hand is.'

Slavko vertelde dat de oorlog hem kwelde (wat ook zo was) en dat hij een verzetsgroep leidde die de inwoners van Sarajevo steunde (wat gelogen was).

'Ik wil helpen. Vertel me hoe ik kan helpen.'

'Medi...' Hij zocht het woord. 'Medicine,' zei hij in het Engels.

Ze begreep hem: 'Medicijnen?'

Hij knikte. Zij schudde haar hoofd.

'Met medicijnen kun je je niet verdedigen,' zei ze.

Ze was slim, maar ook een beetje geschift.

Zijn gepolijste intuïtie fluisterde het hem in, zong in zijn oren wat zij wilde, wat haar dreef, wat haar leven beheerste.

Hij zei: 'Vanavond praten. Goed? Maar voorzicht. Slechte mens luistert. Alleen jij en ik.'

Ze ontmoetten elkaar bij het woeste beeld van bisschop Grgur Ninski, die al in de tiende eeuw een Kroatische nationalist was, en hij nam haar mee naar Kod Joze, zijn favoriete keuken wanneer hij voldoende poen had, en hij nam zich voor om vanavond te investeren. Op enkele zwaarlijvige ex-partijbonzen na, die bijtijds onroerend goed op hun naam hadden laten registreren, was de zaak verlaten, zoals hij verwachtte. Terwijl het orkestje de zoetste sentimenten streelde sprak hij achter in de middeleeuwse kelder waarin het restaurant was gevestigd over de geheime smokkellijnen naar Sarajévo, hoe zijn verzetsgroep wapens naar de verdedigers van de stad bracht en zieken en gewonden mee terugnam. Hij vertelde over heldenmoed en opofferingsgezindheid, over tranen en pijn, over bevrijding en verlossing. Hij overtrof zichzelf en na het eten van de verse gegrillde vis en verschillende groenten schonk Anneke IJsman hem haar vertrouwen. Hij vroeg haar ten dans en voelde haar breekbare lijfje onder zijn gemanicuurde vingers. Ze fluisterde dat zij deel wilde zijn van zijn groep en een wapentransport wilde bekostigen. Toen hij haar naar hun tafel had teruggeleid, opende ze haar handtas en toonde hem bundels bankbiljetten.

'Honderdvijfenzeventigduizend gulden,' vertrouwde ze zijn oren toe.

Dit was zijn dag. Hier had Slavko een leven lang op gewacht.

Ze hadden geen moeite hem te traceren. Binnen twee dagen had hij in Ancona tienduizend gulden uitgegeven, de rest van het geld hadden ze tussen zijn bagage aangetroffen. Slavko kende geen enkel geheim voor zijn koppige ondervragers.

Mijn moeder had een kamer gehuurd bij een gezin in Veri Varos, dezelfde buurt waar Slavko woonde. Mijn begeleider was daar zojuist geweest en had ontdekt dat mijn moeder nog bij goederenstation Predgrade postte. Meneer Mesic dacht dat het het beste was wanneer ik haar aansprak.

De gorilla beloofde mij dat hij een van zijn gedichtenbundels in het hotel zou achterlaten, 'ter herinnering'. Hij was een gelauwerd poëet, de stem van de Kroatische ziel, vertrouwde hij mij toe. Net als moorden was dichten blijkbaar een Balkanhartstocht.

Het goederenstation lag in een betonnen buitenwijk tussen fabriekshallen, pakhuizen en magazijnen, die ondanks de zomerzon aan de Bijlmer in de regen deden denken. Roestende spoorlijnen doken hier onder de grond, voerden door een buis onder het centrale deel van de stad en kwamen bij de passagiersterminal weer boven.

Anneke IJsman wachtte met haar rug naar de weg naast het pompstation aan de linkerkant van het stationsgebouw, in de schaduw van de overkapping. Ze had een hand op haar rug gelegd, vlak boven haar heup, wat een karakteristieke houding voor haar was: ze drukte op de plek waar ze pijn had. Onder een brandende zon dreunden vrachtwagens met walmende uitlaten over de weg, en ik stapte uit en gilde haar naam. In het verkeerslawaai verdronk mijn stem. Ik zag dat ze haar hand bewoog, de plek masserend waar een op hol geslagen deel van haar vlees haar gal en lever wegvrat, en ze bleef het rangeerterrein in het oog houden. Ik maakte aanstalten de stroom vrachtwagens te trotseren, maar de dichter hield me vaderlijk vast, bang dat ik zomaar de straat zou overrennen, en opnieuw riep ik vergeefs haar naam. Ze droeg haar blauwe jurk met een wit, bloemachtig motief en stond op donkerblauwe halfhoge hakken. In haar linkerhand lag de schouderband van haar reistas, die stil tegen haar scheenbeen hing.

'Mama! Mama!'

Bulderende dieselmotoren verdreven mijn woorden. Een trage transporttruck brak de verkeersstroom en de gorilla liet me los: 'Yes, now.'

Ik sprong in de roetwolk die door een stokoude vrachtwagen werd uitgesproeid en holde naar de overkant.

Ze draaide zich om voordat ik haar bereikte, alsof ze iemand voelde naderen. Voordat ze geërgerd haar ogen sloot, zag ik de kleur van haar blik, vol verwachtingsvolle onschuld, teer en teder als een meisje dat haar prins verwacht.

Het vuil van het passerende verkeer had zich op haar huid vastgezet, maar ze was tijdloos mooi en, ondanks de pijn in haar rug, fier van gestalte.

Hoofdschuddend sloeg ze bij mijn aanblik haar ogen neer, alsof ik haar voor de zoveelste keer lastigviel. Met zekere vingers had ze haar wenkbrauwen getrokken, keurige lijntjes boven haar ogen, en ze had haar lippen, die vroeger papa's liefde hadden beantwoord, fel rood geschilderd. Ze zag eruit alsof ze weinig ouder dan zestig jaar was.

'Mama, wat doe je hier? We waren ongerust! Je bent weggegaan zonder iets te zeggen, we hebben stad en land afgebeld om te kijken waar je was! Mama, wat is dit?'

Ze keek op en ik ontdekte een geel waas over haar oogwit, een symptoom van het galcarcinoom. In ongeloof keek ze hulp zoekend naar de hemel, bezwangerd van uitlaatgassen.

'Ik was er al bang voor,' zei ze, 'ik dacht al: die gaat me zoeken, die komt me achterna. En ja hoor, daar is ie.'

Ze deed me opzettelijk pijn, mij, de liefhebbende zoon die niets begreep van zijn onverzettelijke moeder. Van nabij zag ik de groeven in de dunne huid van haar gezicht, de kleine oudevrouwenharen die ze bestreed, de onschuldige wijsheid in haar blik.

'Natuurlijk ben ik er!' riep ik. 'Ga je mee, mam? Daar staat een auto, die brengt ons naar een hotel.'

Resoluut schudde ze haar hoofd. Haar kapsel was hard van de haarspray, een modieuze *look*, voor Fred, voor mij, voor de spiegel, voor de bevrijders van Sarajevo.

Ik riep: 'Wat moet je hier doen? Naast een stinkend pompstation, tussen de uitlaatgassen, bij een station waar geen treinen rijden?'

'Ik moet hier zijn.'

'Voor wat, mam?'

'Dat zijn *mijn* zaken.'

'Nee, dat zijn ook zaken waar *ik* mee te maken heb! Wat doe je hier? Zeg wat!'

Ze zuchtte en het leek of ze duizelig werd en dreigde te vallen. Ik hield haar vast en voelde hoe haar broze lijf steun zocht.

'Mama, wat doe je hier toch? Hier word je ziek van. Kom mee naar het hotel. Daar neem je een bad en dan gaan we iets eten.'

'Ik heb geen honger,' zei ze bozig. Maar ze leunde tegen me aan, uitgeput van het wachten.

'Dit kan zo niet, mam.'

'Ik ben hier voor iets heel belangrijks.'

'Voor wat?'

'Ach, dat begrijp jij niet.'

'Leg het me uit, misschien begrijp ik het wel.'

Ze verhief haar stem en keek me met strenge ogen aan: 'Toen ik je belde begreep je het ook niet!'

'Wanneer belde? Na Nova?'

'Je begreep het niet.'

'Ik wist toch niet wat je had gezien, mam!'

'Ik ben hier, daar gaat het om.'

En om te bewijzen dat ze deze plek met een reden had gekozen wierp ze een blik op het verlaten rangeerterrein.

'Op wie wacht je?'

'Op iemand die jij niet kent en die jij ook nooit zult le-ren kennen want jij gaat weer netjes weg.' Ze keek demonstratief langs me heen, naar de zware vrachtwagens met hun zwoegende motoren. 'Nee, ik blijf. Je brengt alles in de war.'

Ze trok een klagend gezicht, lijdend aan mijn onbenul.

'Alles is al in de war, mama.'

'Wat weet jij daarvan? Ik moet hier zijn, Bennie, laat me nou maar.'

'Nee.'

'Ik kan nou niet teruggaan. Het is te belangrijk. Geloof me.'

'Ik geloof wel dat het belangrijk is wat je doet, maar toch is het onmogelijk.'

'Als iedereen zo denkt dan gebeurt er niks.'

'Wat moet er gebeuren dan?'

Ze wachtte tot ze adem had om de essentie te beschrijven, en ik voelde hoe haar borstkasje hijgde: 'De mensen worden beschoten en niemand steekt een vinger uit.'

'Jij wil een vinger uitsteken?'

Met grote, verongelijkte ogen vroeg ze: 'Ja, is dat zo raar?'

'Nee. Maar misschien de manier waarop je het doet.'

'Zijn er andere manieren dan? We zitten voor de televisie en kijken toe hoe mensen zoals jij en ik worden afgeschoten! Als honden! Bennie, als honden! Er zitten sluipschutters in de bergen en de mensen in de stad worden als honden afgeschoten! En in die stad woonde iedereen door mekaar, katholieken, moslims, Serviërs, joden ook, die woonden daar ook al honderden jaren, Ben, en nu schieten ze met kanonnen en raketten en wat doet de wereld? De wereld kijkt toe hoe de bandieten weer de baas worden. Mooie wereld is dat, hè Bennie?'

Ze keek me met pijn aan.

Ik vroeg: 'Wat wil je dan daaraan doen?'

Ze luisterde niet en wierp haar opstandige woorden in mijn gezicht: 'Ze mogen zich niet eens verdedigen, wist je dat? Terwijl er op ze geschoten wordt en die soldaten van de Verenigde Naties toekijken mogen ze niet eens wapens kopen om zichzelf te verdedigen! Wat dacht je dat er in de oorlog was gebeurd als ze in de kampen wapens hadden neergegooid met parachutes! Wat denk je? Dan hadden ze zich bevrijd! En nu weer hetzelfde! Dat mag niet!'

'Dus je dacht: ik ga helpen wapens te maken.'

Ze hijgde en nam enkele seconden de tijd om te herstellen. Ze schudde haar hoofd en sloot haar ogen. Ik sloeg mijn armen om haar heen.

'Doe niet zo misselijk,' fluisterde ze. 'Je weet dat dat niet kan.'

'Wat kan dan wel?'

'Denk na, of weet je niet meer hoe dat moet?' Venijn klonk in haar stem.

'Ik doe m'n best,' zei ik.

'Hoe? Met een liedje voor het Songfestival?'

Haar opmerking brandde als een zweepslag.

'Je wil wapens kopen,' zei ik.

'Je bent een grootgoochem.'

'Bij wie, mama?'

'Ik heb m'n contacten.' Ze deed achteloos en arrogant, alsof haar geduld ten einde liep.

De bodem trilde onder het zware verkeer, de vervuilde lucht irriteerde mijn neus en ogen. Hier wachtte ze al voor de tweede dag.

'Slavko?' vroeg ik.

Terwijl onzekerheid in haar ogen sloop maakte ze zich van me los en deed een stap terug.

'Hoe ken jij die? Wat weet jij daarvan?'

'Slavko is niet degene voor wie hij zich uitgeeft, hij is niet te vertrouwen, mama.'

Boos en argwanend nam ze me in zich op: 'Jij weet niets. Jij kent die man niet, je zegt maar wat.'

'Hij is een oplichter, mama, hij was op je geld uit.'

'Nee! Je liegt! Je wil me alleen maar weg hebben hier!'

'Slavko is nu in Italië, mam. Van jouw geld zat hij in een mooi hotel en liet dure flessen wijn openmaken en maakte goeie sier bij de vrouwtjes. Dat is Slavko, mam.'

'Nee! Dat is niet waar! Hij zou wapens voor me kopen! Ze zouden hier komen! Met de trein! En dan zouden ze met vrachtwagens naar Sarajevo worden gebracht! Je liegt!'

Met kracht probeerde ze haar eigen twijfels, door mij uitgesproken, te overschreeuwen.

'Slavko is een zwendelaar!'

'Niet waar!'

'Jawel, mam, toch is het waar.'

Smekend keek ze me aan, alsof ze niet begreep waarom ik, die van haar hield, volhardde in deze marteling.

Ik vroeg: 'Wanneer had hij hier moeten zijn, mam?'

Ze boog haar hoofd en zocht de steun van mijn armen. Ik zag haar schedel onder haar kapsel. Ik dacht aan de volle lokken van dertig jaar geleden. Toen omlijstten dikke, glanzende haren haar felle ogen, met sterke handen zette ze me haar voedsel voor, trok een trui over mijn hoofd, droogde mijn tranen. En nu vertelde ik haar de waarheid.

'Hij had hier al eergisteren moeten zijn, toch? Had hij dat niet gezegd? En is hij komen opdagen? Je hebt hem geld gegeven en hij beloofde om het transport voor je te organiseren, maar hij verdween.'

Zij kneep haar ogen dicht en liet zich nu als een verlaten kind in mijn armen vallen. Ik voelde dat ze huilde, maar in het lawaai kon ik haar gesnik niet horen.

*

*   *

Na onze terugkeer uit Split bekeek ik nog een keer dat programma, samen met Inge.

De Bosnische vrouw die met haar familie door Servische soldaten uit haar huis was gehaald, wier vader gewaarschuwd had dat ze moest vluchten zodra hij de aandacht afleidde en op het marktplein gedaan had alsof hij gek werd en zich op de grond had laten vallen en was gaan blaffen en rondrennen als een hond, had haar familieleden niet meer teruggezien.

Haar woorden waren door mijn moeder gehoord.

Ik wachtte het moment af waarop ik met mijn moeder over die Bosnische vrouw kon praten. Haar huisarts schreef valium en slaaptabletten voor en ik wilde het echec van haar reis niet vergroten door gezeur over haar drijfveren. Ik moest zwijgen tot zij er zelf over begon.

Nog steeds stond ze niet toe dat Fred bij haar over de drempel stapte, en nadat ze geweigerd had om in Hilversum te komen logeren liet ze zich op onze aandrang in Freds woning vertroetelen. Hij liet de duurste traiteurs komen en kocht in bij haar favoriete winkels, maar ze raakte

86

weinig aan en leek opeens mijn telefoonnummer te zijn vergeten. Nu was ik degene die de hoorn greep. Ik zocht de geruststelling van haar stem.

'Eet je wel wat?' vroeg ik.

'Ja,' loog ze.

'Ik geloof je niet.'

'Luister niet naar Fred.' Ze was me voor, zoals altijd. 'Hij wil me vetmesten, denkt dat ik in de mijnen werk. Ik eet genoeg, geloof me nou maar.'

Tien dagen na haar terugkeer raakte haar lever ontstoken. Met hoge koortsen en snijdende krampen werd ze in het AMC opgenomen. Bij onderzoek bleek dat de groei van het galcarcinoom niet tot staan was gekomen, zoals ik het afgelopen jaar in blinde hoop gedroomd had, en nu werd de leverafvoer dichtgeknepen, wat levensbedreigend was. Opdat de lever kon blijven functioneren werd vlak na de diagnose operatief een buisje in de afvoer geplaatst.

Haar huid kleurde bruingeel en omdat de artsen alleen een infuus toestonden verloor zij binnen enkele dagen vier kilo lichaamsgewicht. Het was niet mogelijk om met haar te praten. Met morfine werd de verdoving in stand gehouden en ze zweefde in een comateuze slaap. Na een week trad een opmerkelijke verbetering in: ze ontwaakte en had soms uren achtereen aandacht voor de wereld in de krant en op de buis. De toediening van morfine werd gestaakt. Ze sprak met de verpleging, met Fred en met Inge, en toen ze via een maagsonde vitamines en mineralen kreeg, trok de kleur van haar huid bij.

Elke dag zaten Fred en ik naast haar bed en urenlang hielden we haar handen vast. Ze kreeg voldoende kracht om rechtop te zitten en te praten.

Waarover spraken we? Over de spotjes. Over de jingles. Of ik weer voor *Black & White* ging schrijven. Over de laatste afleveringen van *The Bold*. Ik wilde haar vragen wat die TV-beelden precies voor haar betekend hadden, maar de blik in haar ogen verbood me elke opmerking over *Bosnië en toen*.

Ook de huisarts en de internist herkenden de onverwoestbare kracht die ik in mijn moeders ogen meende te zien. Het buisje deed zijn werk. Zo kon ze nog minstens een jaar leven. Ik nam me voor geen arts te vertrouwen. Alleen mijn eigen intuïtie, na bijna veertig jaar studie aan de Hogeschool voor Moederkunde, was van belang; wat kon een internist ontwaren in de gecompliceerde wisselwerking tussen lichaam en geest bij Anneke IJsman?

Ze begon weer grapjes te maken en blozend verlieten sommige verplegers haar kamer ('Ik had gezegd: u moet gaan slapen, mevrouw Weiss, en ze zei: alleen als jij naast me komt liggen.') en kreeg weer aandacht voor haar uiterlijk. Inge moest haar make-up-tasje brengen. Toen ik de verpleegster hielp om haar bed naar de röntgenafdeling te rollen, zei ze: 'Een foto maken? Maar Bennie, ik heb m'n gebit niet in.'

Ik wachtte met mijn brandende vragen tot ze zo sterk zou zijn dat ze beneden in een van de koffieshops in de hal van het ziekenhuis haar beklag kon doen over Arafat en Helmut Kohl.

Na een gesprek met de verpleging over de 'thuiszorg' die na haar terugkeer noodzakelijk zou zijn, trof ik haar zittend op een stoel aan, leesbril op haar neus, met geborsteld haar en opgemaakte wangen.

'Mam, wat zie je er goed uit. Over twee weken ben je weer thuis.'

Ze keek op van haar tijdschrift, een exemplaar van *Vrij Nederland*.

'Je liegt,' zei ze.

'Waarom zou ik?' vroeg ik. 'Ik heb net afspraken gemaakt over wat er moet gebeuren als je straks weer thuis bent. Je krijgt elke dag hulp, in het begin zelfs vierentwintig uur per dag, ze helpen je met alles tot je weer in staat bent om de dingen zelf te doen.'

'Ik geloof je niet.'

'Ik zweer 't. Op jouw en mijn gezondheid.'

Een dergelijke eed was heilig. Ze geloofde me en de glimlach van een meisje brak door.

'Wanneer dan?' vroeg ze.

'Ze denken dat 't eind volgende week zover is.'

Ze maakte een gebaar naar mijn nek en ik boog me voorover. Vol kuste ze me op mijn voorhoofd. Daarna verborg ze haar gezichtje in mijn schouder.

'Als je bent opgeknapt dan houden we een feest.'

Ik voelde haar knikken.

'En dan mag Fred eindelijk eens binnenkomen.'

Ze liet me los en hield een dreigende vinger voor mijn neus: 'Wat heb ik precies? Vertel 't me eerlijk, Ben.'

Ik wist niet of zij verwachtte dat ik loog of de waarheid onthulde.

'Er zit een soort wrat bij je lever. Die wrat sloot je lever af en daarom was je zo ziek toen je hier kwam. Maar dwars door die wrat hebben ze nu een buisje gestoken en dat zorgt ervoor dat je bloed nog steeds door je lever kan worden gezuiverd. Ze hebben alles onderzocht en je bloed is goed, je lever werkt, je nieren zijn als van een jonge meid.'

Met grote ogen, overlopend van vertrouwen in mijn woorden, luisterde ze naar mijn wartaal.

Ze zei: 'Bennie, ik zat net te denken: waarom een vest? Je draagt toch nooit een vest?'

Mijn uitleg had haar bevredigd. Meer was niet nodig. Het ging niet om de waarheid. Het ging om een ritueel. Een vest.

'Daarom juist, mam, ik draag nooit een vest omdat ik er geen heb.'

'Maar als je er wél een hebt? Draag je het dan?'

Het maakte niet uit. Desnoods zou ik op mijn knieën smeken om een vest.

'Dan wel.'

'Ik geloof je niet.'

'Ik draag het vest omdat jij het gegeven hebt.'

'Een blauw vest zonder motiefje?'

Zelfs dat herinnerde ze zich. Hoopvol knikte ik.

'Weet je wat jou mooi zal staan? Bordeauxrood met een klein zwart werkje.'

Ik knikte. Ze greep mijn hand en kneep er bemoedigend

in, alsof ik degene was die steun nodig had.

'Hoe moet 't nou verder?'

'Wat, mama?'

'Daar. De mensen. De oorlog.'

'We moeten ze helpen,' zei ik.

'Doe jij dat?'

'Ja.'

'Beloof je 't?'

'Ja.'

Toen ik 's middags terugkwam, hadden ze haar na een pijnaanval met morfine in slaap gespoten. Ze ijlde, vertelde dat ze met Benjamin gewinkeld had en cadeaus had gekocht voor hun moeder.

De volgende ochtend waren haar ledematen gezwollen. Uit haar huid lekte vocht. Haar vingers lagen krachteloos op het gevlekte laken.

De verpleging stopte de voeding en Fred probeerde haar vitaminen te geven, maar ze kon niet slikken. Ze hield zich voor ons verborgen in een diepe slaap.

Als ik alleen bij haar was, zonder Fred of Inge, dan trok ik haar oogleden open en zag ik haar lege blik. Waar was ze? Had ze al afscheid genomen?

Ik bleef haar toespreken, over mijn werk en over het wonder van de prachtige vesten bij The English Hatter, een winkel op de Heiligeweg waar Schots breiwerk van William Lockie te koop was. Toen ook in haar longen vochtophoping ontstond, klonk haar ademhaling zwaar en vermoeid. Terwijl we naast haar zaten en elkaar radeloos opgewekt toespraken, loste haar tere lijfje op in kosmische pijnen.

Ik wilde nog zo veel weten, maar ze gaf me geen kans. Had haar geest na het echec in Split besloten om het carcinoom zijn gang te laten gaan? Wat waren de samenhangen tussen lijf en wilskracht? De ziekte ontwikkelde zich zoals de internisten hadden voorspeld, maar ik kon me niet aan de gedachte onttrekken dat zij besloten had om deze wereld de rug toe te keren.

Ze stierf op een maandagnacht, rond kwart over twee, nadat Fred en ik haar even hadden achtergelaten om beneden in de majesteitelijke hal van het AMC een bekertje koffie te drinken.

*

*   *

Op een heldere dag, onder rijke witte wolken en brede plassen van het mooiste blauw, lieten we haar na de kaddisj achter in de zompige aarde van de joodse begraafplaats in Diemen, naast mijn vader. De lucht rook naar gemaaid gras. In de verte raasde het verkeer naar Hilversum. In de hemel huilde een Boeing.

Met Inge ruimde ik het huis leeg, zoekend naar geheimen, verborgen tekens, de schaduwzijden van de Jiddische moeder door wie ik was opgevoed.

In een met papieren gevulde schoenendoos in haar slaapkamer vonden we de aanwijzing. Tussen oude documenten, hypotheekakten, verzekeringspapieren, het paspoort van mijn vader, lag een afspraaknotitie van een psychiater.

Het papiertje was twintig jaar oud en de naam van de psychiater was mij bekend: hij had patiënten behandeld die leden aan oorlogstrauma's.

Ik belde hem, vertelde dat mijn moeder was gestorven en legde uit wat daaraan voorafgegaan was.

Zijn spreekkamer had in de jaren vijftig een inrichting gekregen die sindsdien niet was vernieuwd. Degelijke, onverslijtbare meubels die de herinnering aan een tijdperk van duidelijkheid en zelfvertrouwen in leven hielden. De psychiater was een rijzige man met de vingers van een pia-

91

nist en de blik van een cynische positivist.

Zeker, hij had mijn moeder behandeld. Na de dood van mijn vader had ze zijn hulp gevraagd en gedurende een periode die vele jaren besloeg – tot na haar reis naar Parijs, rekende ik uit – bezocht ze hem minstens één keer per week.

In 1942 was zij tweeëntwintig jaar oud. Zij had in Brabant als fabrieksarbeidster, als dienstmeisje, als winkelbediende gewerkt, maar door de wet die niet-joden verbood joden in dienst te houden had ze haar baan verloren. Ze hielp haar moeder in de huishouding, wat dat ook mocht betekenen.

Samen met Benjamin werd ze aan het einde van '42 op straat door Nederlandse politiemannen gegrepen. Ze werden naar het station van Den Bosch vervoerd. Maar zij slaagde erin te vluchten. Benjamin offerde zich op.

Doelbewust had Benjamin de aandacht getrokken, op het perron overdonderde hij de bewakers met gespeelde waanzin, en Anneke vluchtte over de spoorlijnen, rende door de weilanden in de richting van het gehucht Engelen, waar zij op goed geluk bij de kerk aanklopte en door een rechtvaardige pastoor verborgen werd gehouden.

Sindsdien meed Anneke stations. Nooit was ze in een trein gestapt, nooit had ze een voet in het Centraal Station gezet, nooit was ze aan een tafeltje in de stationsrestauratie geschoven. Ze had me verteld dat zij altijd per bus of per vliegtuig reisde omdat ze bang was voor het schurende geluid van ijzer op ijzer. Maar de trein was taboe. Op alle perrons van alle stations ging Benjamin als een waanzinnige tekeer om zijn tweelingzusje te redden.

Ik heb mijn reclame-relaties verteld dat ik de komende tijd niet beschikbaar ben. De notitieboekjes zijn van de duisternis van de la bevrijd en liggen nu kwetsbaar op de Roland. Ik schrijf iets waarboven ik schaamteloos *Serenade no. 1* noteer. Ik schrijf een stuk voor mijn moeder.

Als ik beelden van de Bosnische Oorlog zie, hoor ik haar klacht dat de bandieten zegevieren terwijl de beschaving toekijkt. Gewapend met pen en piano, gekleed in een bordeauxrood vest met zwart werkje, zal ik ze in haar naam bestrijden.

Ter nagedachtenis aan mijn moeder
Annie de Winter-Zeldenrust
1910-1994

Omslagontwerp Studio Paul Koeleman
Met vriendelijke toestemming van C.F. Peters, Frankfurt
Illustratie Frits van Leeuwen
Technische realisatie Drukkerij Tulp, Zwolle

Over de leegte in de wereld (1976)
De (ver)wording van de jongere Dürer (roman, 1978)
Zoeken naar Eileen W. (roman, 1981)
La Place de la Bastille (roman, 1981)
Junkieverdriet (toneel, 1981)
Vertraagde roman (roman, 1982)
Kaplan (roman, 1986)
Hoffman's honger (roman, 1990)
Eergisteren, overmorgen (verhalen, 1990)
Een Abessijnse woestijnkat (verhalen, 1991)
SuperTex (roman, 1991)
De ruimte van Sokolov (roman, 1992)
De verhalen (1993)
Handleiding ter bestrijding van extreem-rechts (pamflet,
1994, i.s.m. Chris van der Heijden)